~~Ester~~
Giacomo
Giueitta
Giulio Davoli

7/2 31-57
7/9 58-86 (61-88)
7/16 89-114
7/23 115-138

ANDREA
CAMILLERI
KM 123

MONDADORI

© 2019 Mondadori Libri S.p.A., Milano

I edizione Il Giallo Mondadori marzo 2019

ISBN 978-88-04-71637-2

Questo volume è stato stampato
presso ELCOGRAF S.p.A.
Stabilimento - Cles (TN)
Stampato in Italia. Printed in Italy

Anno 2019 - Ristampa 1 2 3 4 5 6 7

librimondadori.it
anobii.com

Km 123

uno

MESSAGGI RICEVUTI

------Ester------

Non capisco xchè tuo cell da ieri pomeriggio è spento.
Ho necessità assoluta di parlarti. Chiamami

------Ester------

Ti prego ti prego ti prego. Che fine hai fatto? *what has*
Xchè non mi chiami? *become of you*
what happened to
------Ester------ *you*

Non riesco a capire il tuo silenzio sono tanto preoccupata.
Penso al peggio

------Ester------

Che succede? Xchè mi stai facendo tanto soffrire?
Ti devo assolutamente parlare

------Ester------

Non costringermi a telefonare a tua moglie per avere notizie.
Chiamami! Sto malissimo

Tu, lei: Mi chiami   *I'm thinking the*
Don't force me   7   *worst.*
lei, Non mi costringa..

«Signora, mi chiamo Giacomo, sono l'infermiere addetto a questa stanza. Le volevo dire una cosa.»

«Mi dica.»

«Dato che la degenza di suo marito non sarà certamente brevissima, le consiglio di riportarsi a casa i suoi effetti personali.»

«Il vestito, ridotto com'è, lo potete buttare via. E anche le scarpe.»

«Va bene. Ma non mi riferivo solo a quelli.»

«Cioè?»

«Be', signora, aveva in tasca il portafogli, il cellulare, le chiavi...»

«Ah, già.»

«Se lei ora mi vuole seguire di là, glieli consegnerò.»

«Ma senta, non può portarmeli qui?»

«C'è da firmare la ricevuta. È da fare anche il riscontro.»

«Che riscontro?»

«Signora, è la prassi. Suo marito aveva in tasca il portafogli, no? Dentro c'erano una forte somma, tremila euro se non ricordo male, due carte di credito, il bancomat, un libretto d'assegni, la patente... All'atto dell'accettazione viene preso nota di tutto, in modo che poi non sorgano contestazioni alla riconsegna... Mi sono spiegato?»

«Sì. La seguo.»

— *Pronto? Casa Davoli?*
— *Sì. Chi parla?*
— *È la signora Giuditta Davoli?*
— *Sì. Ma chi parla?*
— *Sono Ester Russo, signora.*
— *Chi?*
— *Ester Russo. Ci siamo già conosciute, non ricorda?*
— *Io non...*
— *Il mese scorso, in casa di Anna De Robertis, per quella riunione di beneficenza...*
— *Ah, sì, ricordo. Come sta?*
— *Bene. E lei?*
— *Non c'è male. Mi dica.*
— *Veramente io volevo parlare con suo marito.*
— *Con Giulio?*
— *Be', sì.*
— *Dica a me, riferirò.*
— *Signora, io sono un avvocato, forse non gliel'ho detto quando ci siamo conosciute. Sono, come dire, tenuta al segreto professionale, capisce?*
— *Capisco.*
— *Suo marito non è in casa?*
— *No.*
— *Sa se ha sempre lo stesso cellulare?*
— *Sì.*
— *Non ne ha un altro?*
— *Che io sappia, no.*
— *Perché l'ho chiamato e non risponde.*
— *Non può rispondere.*
— *Perché?*
— *Non lo sa?*

charity   attorney - client privilege

Not that I know   9
far as I know = per quanto lo sappia

— Che cosa?

— C'era persino sul "Messaggero"!

— Ma che cosa?

— Giulio ha avuto un brutto incidente d'auto.

— O Dio mio! E ora come sta?

— Non è grave. Ha un trauma cranico, la mascella fratturata
e tre costole rotte. Non è in grado di parlare.

— O Dio mio, Dio mio, Dio mio...

— Non sapevo fosse tanto amica di Giulio.

— No... è che... abbiamo ottimi rapporti... professionali...
ma una notizia così improvvisa... capirà...

— Capisco.

— Senta, signora, mi dica dove l'hanno ricoverato.

— Perché?

— Devo andare a trovarlo... abbiamo una grave questione
di lavoro in sospeso...

— Per ora i medici hanno proibito le visite, temono complicazioni
a causa della ferita alla testa... Per questo le ho detto
di dire a me, io posso andarci quando voglio.
Se è una cosa importante...

— Importantissima.

— Allora...

— Senta, signora, facciamo così. Gli dica che appena può
si metta immediatamente in contatto con me,
con qualsiasi mezzo.

— Come ha detto che si chiama, scusi?

— Ester Russo.

— Glielo dirò.

— Grazie, signora. Lei è stata veramente gentile.

— È sicura che non possa aiutarla io?

— No.

10

Il Messaggero

Grave incidente d'auto

Ieri, poco dopo mezzanotte, una Panda con alla guida il ben noto imprenditore edile Giulio Davoli, mentre percorreva la via Aurelia verso Roma, all'altezza del chilometro 123 veniva speronata da un'altra auto che sopravveniva a forte velocità.

L'auto investitrice ha proseguito la folle corsa, mentre Davoli, perduto il controllo del suo mezzo, precipitava lungo una scarpata. Soccorso da una macchina di passaggio, e trasportato all'ospedale, l'imprenditore vi è stato ricoverato in prognosi riservata.

Ci pare opportuno segnalare il nome del soccorritore, il signor Anselmo Corradini di Roma. In tempi di spregevoli pirati della strada o di gente che tira dritto di fronte a situazioni di gravi difficoltà, egli si è fermato prodigandosi nell'opera di soccorso e, visto che l'ambulanza ritardava, non ha esitato a caricare il ferito sulla sua auto conducendolo all'ospedale.

11

— Pronto, il signor Anselmo Corradini?
— So' io.
— È lei quello che ha soccorso...
— E daje! È la quarta telefonata! Che ci avete, tempo
  da perde pe' venimme a rompe li cojoni?
— Mi perdoni, vorrei solo sapere se è stato lei o no.
— Nun so' stato io. Io nun ci ho manco la machina!

[...]

— Pronto, il signor Anselmo Corradini?
— Sì.
— Mi scusi, è lei che l'altra notte ha soccorso
  un automobilista che...
— Sì, sono stato io. Lei è una giornalista?
— Sì, del "Giornale Radio".
— Mi vuole fare un'intervista?
— Sì, se è così gentile...
— Non c'è problema. Quando vuole venire?
— Senta, non è necessario incontrarci. Gliela posso fare
  per telefono. Anche ora se vuole.
— Va bene. Prima vorrei andare a bere un po' d'acqua.
  Sono un poco emozionato.
— Faccia pure.

[...]

— Eccomi qua.
— Mi scusi, signor Corradini, mi chiedono dalla regia
  se può dirci subito il nome dell'ospedale dove ha portato
  il signor Davoli. Così mandano una troupe per fare
  un'intervista anche a lui. Verrebbe fuori una cosa carina.
— L'ho portato all'American Hospital.

12

— *Grazie. Cominci a raccontare.*
— *Dunque io venivo da Grosseto con mia moglie*
  e mio figlio Nicola che ha sei anni e fa
  la prima elementare. Eravamo andati a trovare
  la sorella di mia moglie che non è stata bene.
  E pioveva. Nessuno l'ha scritto che pioveva.
  Veniva giù forte, c'era una scarsa visibilità...
  Vado bene così, signorina?
  Pronto? Pronto?
  Mannaggia, dev'essere caduta la linea.

damn it!

rintaccare — hang up *

gli ~~interpri~~
    intorni — surrounding

«Mi scusi, il signor Giulio Davoli?»

«Aspetti che guardo. Stanza 210. Però non sono ammesse visite.»

«Che significa?»

«Significa esattamente che non sono ammesse visite.»

«Ma io sono sua cugina!»

«Sarebbe lo stesso anche se fosse sua sorella.»

«Ma se Giuditta entra quando vuole!»

«E chi è Giuditta?»

«La moglie!»

«La signora ha un permesso speciale.»

«Ma io devo assolutamente vederlo!»

«Non so che farci. Gli ordini sono questi. Buongiorno.»

«O Dio mio! E adesso come faccio? Come faccio?»

«Senta, niente scenate, per favore. E soprattutto non si metta a piangere qui.»

[...]

«Signora?»

«Sì?»

«Si calmi. Ho sentito quello che le ha detto suor Matilde. Quella è una carogna. Se vuole...»

«Lei chi è scusi?»

«Mi chiamo Giacomo. Sono un infermiere. Ce l'ho io il signor Davoli.»

«Lei potrebbe farmici parlare?»

«No. Sarebbe troppo pericoloso. E poi non può parlare per via della mascella fratturata. Può scrivere, questo sì. Però, se lei vuole che io gli dica qualcosa...»

«Magari! Gli dica che Ester ha assoluto bisogno di

mettersi in contatto con lui prima possibile. Me lo fa questo favore? Le scrivo il mio numero di telefono.»

«Certo.»

«Dio mio, non mi pare vero! Non so come ringraziarla! Ecco, tenga, questi sono per lei.»

«Grazie. E stia tranquilla.»

da: estergiganti@hotmail.com
a: mariadestefani@hotmail.com
oggetto: un abbraccio
data: 10/01/2008

Cara Maria,
preferisco scriverti piuttosto che telefonarti. Al telefono
sarei troppo emotiva e invece ho bisogno di riordinare
le idee, perché sono troppe le cose che mi sono accadute.
Mai, come in questi giorni, mi pesa la tua assenza.
Si tratta di avvenimenti che mi hanno letteralmente
sconvolta e mi fanno prevedere il peggio.
Se tu fossi qui avresti potuto consigliarmi
e soprattutto offrirmi quel conforto di cui solamente
tu sei capace. Come sai, vado a trovare Giulio
tre volte la settimana, di pomeriggio, nell'appartamentino
di Borgo Pio che ha affittato apposta perché ci si possa
incontrare in totale tranquillità.
La macchina la posteggio sempre in una viuzza parallela.
Le chiavi le lascio a un fruttarolo gentile, si chiama Carlo
ed è un po' innamorato di me, perché all'occorrenza la sposti.
Ebbene, un mesetto fa, Carlo mi ha raccontato un fatto
curioso accaduto poco dopo che avevo parcheggiato l'auto.
Mentre serviva una cliente, si è accorto di un tale che,
con un cellulare, fotografava la targa dell'auto. Credendo
che si trattasse di qualche addetto al traffico,
si è sporto fuori dal negozio per dirgli che pensava
di averla posteggiata bene.
Ma quello, senza dire una parola, si è allontanato
velocemente.
Carlo mi ha infatti riferito che era riuscito,
con un colpo di fortuna, a parcheggiare l'auto al posto

di una che se ne era andata. Quindi non c'era nessun
motivo di fare multe o altro. L'uomo era in borghese,
piuttosto ben vestito. Quando ho riferito l'episodio
a Giulio, si è impensierito. E mi ha domandato
se ero sicura che Stefano non sospettasse nulla.
Secondo lui non era da escludere che mio marito
m'avesse messo qualcuno alle calcagna.
Ora tu conosci Stefano. È un uomo chiuso, a volte
un pochino tetro, ma assolutamente incapace
di sotterfugi. Quello che pensa lo dice, apertamente
e a volte con poco garbo.
Se avesse avuto il minimo sospetto su me e Giulio non
avrebbe esitato a dirmelo in faccia.
Le cose stavano a questo punto quando, qualche giorno fa,
sono andata nell'appartamentino per farvi le pulizie
approfittando che Giulio era fuori Roma. Ci vado quando
non c'è perché se lui è presente finisco col fare ben altro
che le pulizie.
Comunque, all'uscita...
Dio mio! Se ci ripenso, mi sento diventare le gambe molli
e sprofondo in un bagno di sudore.
Uscendo dal portone, c'era una macchina parcheggiata
esattamente di fronte. Impossibile non vederla.
L'ho riconosciuta subito: era la macchina di Stefano,
mio marito!
Mi stavo mettendo a correre per scappare via da lì,
ma non so come ho fatto, sono riuscita a controllarmi
e a guardarla meglio. La targa era impossibile leggerla,
stava incastrata tra due macchine.
Ho avuto il coraggio di avvicinarmici. Ho riconosciuto
un mio ombrellino sotto il lunotto posteriore.
Mi sono guardata attorno. Stefano non era nei paraggi.
A meno che non fosse nascosto dentro a un portone...

17

Tu capisci in che stato d'animo sono stata ad aspettare
il suo rientro per la cena!
Invece, era come al solito.
Stavo per tranquillizzarmi quando, durante la frutta,
se ne è uscito con questa frase:
"Oggi pomeriggio eri a Borgo Pio?"
Mi sono sentita agghiacciare. Lo sforzo per tenermi sotto
controllo è stato terribile.
"Io? A Borgo Pio?" ho a mia volta domandato
fingendomi molto stupita.
E poi:
"Perché me lo domandi?"
E lui, ma senza dare nessuna importanza alla cosa:
"M'è parso d'averti vista."
E dopo una pausa:
"Mi sarò sbagliato."
E non ha più aperto bocca.
Siamo andati a letto.
E ha voluto fare l'amore.
Ora tu sai, perché te l'ho già confidato, che lui in proposito
ha un suo calendario al quale si attiene scrupolosamente
e noiosamente: il primo e l'ultimo del mese. La richiesta
fuori tempo mi ha sorpresa e impensierita.
Lo sono stata di più dopo.
Stefano è stato molto violento e quasi rabbioso, in sei anni
di matrimonio non l'aveva mai fatto così.
Perché?
Naturalmente, il giorno dopo ho chiamato Giulio per
informarlo, domandargli come avrei dovuto comportarmi
e dirgli se non era il caso di sospendere per qualche giorno
i nostri incontri a Borgo Pio.
Senonché non ha risposto alle mie chiamate.
Disperata, mi sono decisa a telefonare a sua moglie.

18

Così ho saputo che ha avuto un incidente d'auto
e che si trova ricoverato in ospedale. Non può parlare,
ha una mascella fratturata.
E io sono qui che non so che fare, confusa e spaventata.
Ti abbraccio forte
Ester

p.s.
Ho pensato d'andare domani pomeriggio a Borgo Pio.
Ci starò un'oretta senza far niente e poi me ne andrò.
Voglio vedere se qualcuno mi segue o se la macchina
di Stefano è nuovamente nei paraggi.

due

«Chi è?»

«Sono Giacomo, signora.»

«L'infermiere?»

«Sì, l'infermiere.»

«Quarto piano, la porta a destra dell'ascensore.»

[...]

«Buongiorno, Giacomo. Ha parlato con Giulio?»

«Sì, signora. Mi ha detto così, che se lei vuole scrivergli, io gli porto la lettera.»

«Dio ti ringrazio! Lo faccio subito!»

«Io intanto potrei...»

«Come sta?»

«Un pochino meglio. Ma sa, sono fratture che per risanarle hanno bisogno dei loro tempi. Senta, signora, ci metterà molto a scrivere?»

«Un'oretta certamente.»

«Allora facciamo così. Io vado a fare un'altra commissione e poi passo a prendere la lettera.»

«Sicuro che ripassa?»

«Vuole scherzare? Sono un uomo di parola.»

«A più tardi, allora.»

— Pronto, Ester?

— Maria! Che bello sentirti! Non sai come...

— Ho ricevuto la tua mail. Ci sei poi andata a Borgo Pio?

— Ieri ci volevo andare, come ti avevo scritto, ma all'ultimo momento non ho potuto, un contrattempo.
Ci andrò oggi pomeriggio.

— Non lo fare.

— Perché?

— Perché se è vero che tuo marito ha dei sospetti, farti vedere lì non è prudente, ti pare?

— Ma...

— Tu, che io sappia, non hai né parenti né amici da quelle parti. Se ti vieni a trovare faccia a faccia con tuo marito e lui ti domanda perché sei lì, assai lontana da casa tua, tu che gli dici?

— Ci ho pensato, sai? Gli dico che c'è un negozio d'antiquario che...

— Non puoi.

— Perché?

— Perché quando ti ha detto d'averti vista a Borgo Pio, tu hai negato, mostrandoti meravigliata.

— Oddio, è vero!

— Lo vedi? Sii prudente.

— Sai, credo di essere riuscita a mettermi in contatto con Giulio.

— Come hai fatto?

— Per mezzo di un infermiere. Gli ho scritto.

— Che gli hai detto?

— Praticamente quello che ho detto a te.

— Allora, prima di fare qualsiasi cosa, aspetta la sua risposta, non prendere iniziative, mi raccomando.

— D'accordo. Come stai? Dimmi di te.

DETTO A GIACOMO PERCHÉ ANCORA
MI VIENE DIFFICILE SCRIVERE A MANO.
HO RICEVUTO LA TUA LETTERA.
NON HO NÉ DENARO NÉ CELLULARE A DISPOSIZIONE
PER LE MIE SPESE PERSONALI.
PER FAVORE CONSEGNA A GIACOMO
CINQUEMILA EURO O QUEL CHE PUOI.
È FIDATO.
DOVRESTI SONDARE MEGLIO STEFANO E SCOPRIRE
SE HA ALTRI MOTIVI PER ANDARE A BORGO PIO.
TI BACIO FORTE, MIA ADORATA,
MI MANCHI TANTO.

GIULIO

dettare — dictate

«Ciao, Carlo.»

«Signora Ester! Ogni giorno che passa è sempre più bella!»

«Grazie.»

«Non mi lascia le chiavi della macchina?»

«No, vado via subito. Volevo chiederti una cosa.»

«A sua completa disposizione.»

«Servi prima la signora.»

[...]

«Eccomi.»

«Carlo, ti ricordi che giorni fa mi hai detto d'aver sorpreso un tale che fotografava la mia macchina?»

«Certo che me lo ricordo.»

«Ti faccio vedere una fotografia. Dimmi se è la stessa persona.»

«No, non è lui.»

«Ne sei sicuro?»

«Oddio, signora, di sicuro c'è solo la morte.»

«Allora hai qualche dubbio?»

«A me non pare che sia lo stesso.»

«Perché?»

«Mi sembra che l'altro fosse un po' più alto.»

«E basta?»

«E un po' più massiccio.»

«Tutto qua?»

«Signora bella, l'ho visto con la coda dell'occhio mentre servivo una cliente. E lui, appena mi ha sentito, è scappato.»

«Aveva un impermeabile o un cappotto?»

«Lo sa che non me lo ricordo?»

«Lo sai, Stefano? Oggi pomeriggio non avevo niente da fare e m'è venuta una curiosità. Siccome tu l'altro giorno mi hai parlato di Borgo Pio, ci ho fatto un salto.»

«Perché?»

«Perché non mi capita spesso di passarci.»

«Ah.»

«È tipico, no?»

«Già.»

«Però le viuzze sono strette e mi pare ci debba essere poca luce negli appartamenti.»

«Può essere.»

«Quello nel quale vai tu è luminoso?»

«Io non vado in un appartamento.»

«Ah, no?»

«No.»

«E allora dove vai quando sei lì? Hai detto che t'è parso d'avermi vista...»

«Ester, ne parli come se io a Borgo Pio ci andassi tutti i giorni! Passami l'insalata.»

«Be'?»

«"Be'" cosa?»

«Non mi hai detto dove vai.»

«Cos'è questa curiosità improvvisa?»

«Va bene, se non vuoi dirmelo, lasciamo perdere.»

«Senti, non è un segreto. Un mio cliente ha fatto costruire una specie di gazebo su una terrazza, il Comune lo vuole fare abbattere sostenendo che è abusivo, il mio cliente dice invece che ha fatto regolare richiesta e che non avendo ottenuto risposta entro il termine legale... sai, la faccenda del silenzio-assenso...»

«Allora perché mi hai detto che non sei stato in un appartamento?»

«Perché un gazebo sopra un terrazzo non è un appartamento. E ora basta perché m'hai stufato con questa storia.»

«Buongiorno, signora.»

«Buongiorno, Giacomo. Come sta Giulio?»

«Si riprende che è una bellezza.»

«Non le ha dato niente per me?»

«Signora, non c'è più bisogno di bigliettini.»

«Perché?»

«Mi ha chiesto di comprargli un cellulare.»

«Allora posso parlargli!»

«No, signora. Lui ancora non può. E poi sarebbe pericoloso.»

«Pericoloso?»

«Sì, signora. Lei capisce, capace che non si ricordi di spegnere il telefonino mentre c'è in visita la moglie...»

«È vero.»

«Il signor Giulio non lo vuole nemmeno tenere il cellulare. Vede? È questo. Ce l'ho io.»

«Ma se lo tiene lei...»

«Non c'è problema. Lei gli mandi messaggi. Io, quando è solo, glieli faccio vedere.»

«Ma se devo dirgli una cosa lunga...»

«In quel caso mi chiama, io vengo e lei mi dà una lettera.»

«Meno male che c'è lei! È un vero angelo, Giacomo! Tenga, questi sono per lei.»

«Grazie tante, signora. Lei è molto generosa.»

«Mi dia il numero del cellulare, lo registro sul mio.»

«3402476XXX. Ah, le volevo dire che, dati gli orari della clinica, sarebbe meglio se lei mandasse i messaggi tra le nove e le dieci del mattino e le tre e le quattro del dopopranzo. Quelle sono le ore più calme.»

«Intanto senta, gli potrebbe fare avere una lettera?»

«Stasera sono ormai fuori turno. Gliela potrei consegnare solo domani mattina alle sette e mezzo. Ma allora tanto vale che lei gli mandi un messaggio.»

«Preferisco una lettera! Mi sta bene che lei gliela consegni alle sette e mezzo.»

«Va bene...»

you might as well

Amore mio,
sono così contenta di sapere che stai sempre meglio.
Mai come in questi giorni mi sto rendendo conto
che non posso vivere senza di te.
Per la prima volta provo una grandissima invidia nei confronti
di tua moglie, che può continuare a vederti tutti i giorni.
Guarisci presto, te ne scongiuro!
Ho cercato di sondare Stefano ma è stato molto ambiguo,
non mi ha mai guardata in faccia mentre mi parlava
e il suo tono era piuttosto teso.
Ti racconto le cose per ordine.
Ieri pomeriggio sono tornata a Borgo Pio con una foto di Stefano
e l'ho fatta vedere a Carlo, il fruttarolo, per sapere se era la stessa
persona che aveva fotografato la mia auto.
Carlo non l'ha riconosciuto, ma era abbastanza incerto.
Poi sono andata nella nostra strada. Ebbene, c'era la macchina
di Stefano parcheggiata non come la prima volta,
ma un po' più distante dal portone!
È molto probabile che quando esco da casa mi segua.
A cena, sono stata io a provocarlo, dicendogli
che quel pomeriggio ero stata a Borgo Pio per conoscere il rione.
Ero terrorizzata, temevo d'aver fatto un passo falso.
Ma così ho avuto la possibilità di domandargli perché lui
fosse stato a Borgo Pio.
Mi ha risposto che era andato a trovare un cliente
per una costruzione abusiva. Ma, come ti ho detto,
non m'è parso per niente convincente.
Ho paura.
Penso che sarebbe intanto opportuno che tu,
quando sarai in grado di muoverti, trovi un altro posto
più sicuro per incontrarci.

28

Che devo fare? Come devo comportarmi?
Mi manchi, senza di te mi sento privare dell'aria.
Ti bacio con amore infinito

Ester

MESSAGGI RICEVUTI

------Giulio------

Amore mio non fare niente non andare + per nessuna
ragione a Borgo Pio rimani + che puoi a casa
mostrati serena e allegra.
Mi raccomando nervi a posto. Baci baci baci

------Ester------

Le tue raccomandazioni mi sconvolgono ancora di +.
Ti sento come se tu fossi spaventato xchè?
Spiegamelo altrimenti impazzisco.
Ti bacio con amore infinito

------Giulio------

Ti dirò tutto quando sarò dimesso.
X ora non voglio darti altri pensieri.
Fai come ti ho detto e non chiedere oltre.
Ti desidero ti bacio.
Ti amo

relas d. discharget

— Parlo con la signora Davoli?
— Sono io. Chi parla?
— Antonio Presta. Sono l'agente dell'assicurazione
  incaricato dell'indagine.
— Che desidera?
— Avrei urgenza di parlarle in merito all'incidente
  nel quale è stato coinvolto suo marito.
— E che c'è da indagare? È tutto così chiaro, purtroppo!
— Sono formalità, signora. Noiose, lo capisco.
  Ma indispensabili.
— Non possiamo risolvere tutto per telefono?
— No, signora. Ci sono carte da firmare...
— Senta, io per ora non ho tempo. Vado mattina e pomeriggio
  a trovare in clinica mio marito e non ho sinceramente...
— Si tratta di un'oretta appena, signora.
— Un'ora?!
— Be', vede, c'è qualche complicazione...
— Quali complicazioni?
— Be', tanto per cominciare la Panda è risultata
  non appartenente a suo marito, ma a lei, signora.
— E che c'è di strano? Lo faceva tante volte!
  Spesso gli tornava comodo prendersi la mia macchina...
— Signora, la cosa non è così semplice come appare a lei,
  mi creda. Mi riceva, glielo dico nel suo stesso interesse.
— E va bene. Vogliamo fare questa sera alle sette a casa mia?
— Ottimamente. La ringrazio, signora,
  lei è molto comprensiva.

just to begin
its convenient for him
let me come over   *in your own interest*

31

sympatica

tre

«Non ho capito bene quello che mi ha detto, signora. Vuole ripetere, per cortesia?»

«Dio santo, che c'è da non capire? E poi sono così stanca!»

«Signora, mi perdoni, ma abbia la bontà di...»

«Guardi, la mattina dell'incidente mio marito mi ha domandato se poteva prendere la mia Panda al posto del suo Suv, che gli è comodo per andare nei cantieri. Mi ha anche detto che il Suv l'aveva lasciato parcheggiato in strada, vicino casa, non l'aveva messo in garage.»

«Perché?»

«Qualche volta lo fa. Quando deve riprenderlo subito.»

«Ma da Grosseto sarebbe tornato assai tardi. Aveva in mente di uscire nuovamente in nottata?»

«Non credo. Penso invece che non avesse previsto di fare così tardi a Grosseto.»

«Va bene, continui.»

«La mattina dopo l'incidente, stavo per andare in ospedale ma poi ho pensato che era meglio mettere il Suv in garage. Con tutti questi ladri che ci sono in giro, capirà! Ho guardato dove mi aveva detto Giulio ma non l'ho visto. Ho fatto il giro dell'isolato. Due volte. Niente. Allora mi sono convinta che l'avevano rubato.»

«Ha sporto denunzia?»

«Certamente. Al commissariato di zona.»

«Mi scusi, signora Davoli, ma lei sa presso chi era assicurata l'auto di suo marito?»

«Con voi.»

«Con noi!»

«Sì, perché si meraviglia?»

«Ma lei l'ha comunicato l'avvenuto furto alla nostra società?»

«Certo. Ho anche allegato copia della denunzia!»

«E com'è che non ne sono stato informato?»

«Lo chiede a me?»

«Mi scusi, signora, devo andare a chiarire subito questa faccenda. Mi rifarò vivo prestissimo.»

— *Ciao, Ester.*
— *Maria! Stavo proprio per chiamarti!*
— *Non ho avuto più tue notizie e allora...*
— *Scusami, scusami tanto! Ma in questi giorni non so*
  dove ho la testa! Credimi, non vivo ore piacevoli!
— *Come sta Giulio?*
— *A quanto pare migliora in fretta. Così mi ha detto*
  l'infermiere. Ma io ancora non sono riuscita a vederlo.
— *Poverina!*
— *Però ci parliamo via sms.*
— *Ah, bene!*
— *E a te come vanno le cose?*
— *Non mi posso lamentare. A Francesco gli affari*
  vanno molto bene perciò è gentile e affettuoso
  con me, è un marito modello. Non è più la peste
  insopportabile che era a Roma. Sarà che viviamo qui
  all'hotel Plaza ed è tutto, come dire, più semplice...
— *Sono contenta che le cose vadano bene tra voi due.*
  Sapessi la voglia che ho di passare un intero
  pomeriggio con te! È terribile, sai? Non avere nessuno,
  in un momento come questo, che mi conosca come te
  e col quale parlare!
— *Un intero pomeriggio non posso promettertelo,*
  ma due ore sì.
— *Non ho capito.*
— *Ti ho telefonato per questo. Domani vengo*
  a Roma senza Francesco, lui non può muoversi.
— *Dici davvero?*
— *Resterò due giorni. Mi ha chiamato l'amministratore*
  del condominio, devo scendere giù per certi lavori
  che devono fare all'impianto di riscaldamento.

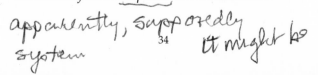

Non ho capito bene. Comunque sarei dovuta venire
lo stesso perché ho un sacco di cose da sbrigare.   ✶
Mi pare un'ottima occasione per vederci.
— Dio mio, che bello! Dimmi subito quando sei libera!
— Perché non vieni a prendermi a Fiumicino?
Io arrivo col volo delle nove, potremmo passare
la mattinata insieme.
— Non mi pare vero! D'accordo, vengo a prenderti.

attend to, to go

the whole

— can't leave (for work w...)

MESSAGGI RICEVUTI

------Ester------

Non posso + stare senza vederti.
Giacomo mi ha detto
che ora puoi ricevere visite.
Verrei quando mi dici tu,
quando non c'è tua moglie.
Ti prego non mi dire di no.
Ti bacio

------Giulio------

Per ora lasciamo perdere,
lei è sempre qua in tutte le ore di visita.
Porta pazienza come la porto io.
Presto avremo modo di rifarci del tempo perduto.
Trova una occasione per andare sicura a Borgo Pio
e porta via tutte le tue cose.
Se trovi anche qualcosa di mio buttalo,
la casa deve apparire vuota.
Ti bacio tanto tanto.
Dovunque

«Ester, stasera devo partire.»

«Dove vai?»

«A Milano.»

«Starai via molto?»

«Tre giorni.»

«Ti va di andarci?»

«No. Ma non ne posso fare a meno.»

«Prendi un altro po' di spaghetti.»

«Non mi vanno.»

«Desideri un...»

«A proposito, se vuoi che a Milano telefoni a Maria...»

«Che stupida! Non te l'ho detto! Domani Maria viene qua.»

«A Roma?»

«Sì.»

«Si tratterrà?»

«Sì, due giorni.»

«Mi dispiace di non poterla vedere. Salutamela.»

«Certo.»

quanto tempo rimane

«Signor Corradini, la ringrazio d'avermi ricevuto. Io, come le ho detto per telefono, sono l'agente incaricato dall'assicurazione e mi occorrerebbero alcune sue indispensabili precisazioni sulla dinamica dell'incidente al quale ha assistito.»

«A disposizione.»

«Posso usare il registratore?»

«Certamente.»

«Allora mi dica.»

«Non è meglio se lei mi fa le domande?»

«Va bene. Lei percorreva l'Aurelia venendo da?»

«Da Grosseto. Eravamo andati a trovare la sorella di mia moglie che non sta tanto bene. C'era anche mio figlio Nicola. Pioveva.»

«Che macchina ha?»

«Una Ulysse.»

«Vada avanti.»

«Bene, a un certo momento, dopo Civitavecchia, ho sorpassato una macchina che andava lenta.»

«Si ricorda che ora era?»

«Era passata da poco mezzanotte.»

«Continui.»

«Non ho fatto in tempo a rientrare che sono stato sfiorato da una macchina grossa che correva assai. Istintivamente ho sterzato, pioveva forte ma ho visto bene quello che è successo.»

«E che è successo?»

«È successo che la macchina che m'aveva appena superato è andata a sbattere contro quella che le stava davanti e ha proseguito. L'ha speronata di proposito e l'ha buttata fuori strada.»

38

«Un momento, signor Corradini. Ci rifletta bene. Se ho capito giusto, mi sta dicendo che lo speronamento è stato volontario?»

«Al cento per cento non ci giurerei, ma al novanta per cento, sì.»

«È un'affermazione molto seria.»

«Lo so.»

«Ma su cosa basa questo suo convincimento?»

«Sul fatto che sono un ex collaudatore. Ho pratica e so come si guida.»

«Quindi mi pare che lei escluda che la macchina investitrice abbia sbandato per la pioggia o per un eccesso di velocità?»

«Le ripeto, l'escludo al novanta per cento. Quella per me non è stata una sbandata, ma una correzione di sterzo calcolata al millimetro. Ha preso l'altra macchina non centrandola, perché così l'avrebbe solo spinta in avanti, ma esattamente in modo che, facendola ruotare su se stessa, andasse a finire nella scarpata. E il posto, tra l'altro, l'ha scelto proprio bene.»

«E poi che è successo?»

«È successo che vedendo la macchina precipitare, mi sono fermato. Tutte le auto che erano dietro di me hanno invece proseguito. Allora, rischiando la pelle mia e quella dei miei, sono andato a soccorrerlo. Non c'è stato un cane che ci ha aiutati. Siamo stati io, mia moglie e mio figlio a portarlo su, con quella pioggia! Meno male che non aveva perso i sensi. Ed era capace di camminare, naturalmente sorretto da noi. Ma è stata un'impresa, mi creda.»

«Capisco. Signor Corradini, lo sa che lei mi ha descritto un tentato omicidio?»

«Certo che lo so.»

«È andato a dirlo alla polizia?»

«E perché? La mano sopra al fuoco non ce la posso mettere, gliel'ho appena detto.»

«Ma io ho l'obbligo di dovermi comportare diversamente.»

«In che senso?»

«Nel senso che dovrò riferirlo ai miei superiori.»

«Embè?»

«E i miei superiori lo comunicheranno alla polizia.»

«Non se ne può fare a meno?»

«No.»

«E questa sarà una grandissima rottura di scatole. Ecco, cosa ci si guadagna a fare del bene!»

Well (?)   *pain in the ass*

MESSAGGI RICEVUTI

------Ester------

Stefano è partito ieri sera per Milano.
Stamattina alle sei sono andata a Borgo Pio
e ho tutto sbaraccato e gettato in un cassonetto.
Non rimangono tracce nostre.
Non sai che dispiacere.
Xchè hai voluto così?
Sto andando a Fiumicino a prendere Maria
che viene da Milano.
Dimmi come stai oggi.
Baci

------Giulio------

Sto molto meglio.
Ti ho chiesto di fare pulizia totale appartamento
di Borgo xchè sarà affittato a un mio cliente amico
che accetta la datazione retroattiva dell'affitto.
Ti spiegherò meglio.
Intanto ti stringo forte e ti bacio

------Ester------

Ma tu hai già pensato a un altro posto
dove si possa stare insieme?
Guarda che io non resisto +.
Devo incontrarti subito
appena sei uscito dall'ospedale
e a morsi mangiarti tutto.
Baci

biting

big recycling can

41

------Giulio------

Come fai a pensare che io non abbia già provveduto?
Questa sera Giacomo ti porterà mazzo di chiavi
di un mio appartamento sfitto che
si trova in via Giulia 13
è già ammobiliato ma forse troppo grande.
Vedi se ti va bene altrimenti ne ho un altro.
Fammi sapere subito intanto ti copro di baci

------Ester------

Vado a vederlo stasera stessa.
Proverò il letto pensandoti accanto a me

bunch   ¯Vacant   meanwhile

Commissariato di Roma
Corso Trieste 154

Prot n   1563/A/12
Oggetto Davoli Giulio

data: 15 gennaio 2008

Al Dottor
Costantino Lopez
Primo Dirigente

Come da disposizioni ricevute, ho interrogato il signor Corradini Anselmo nella qualità di testimone dell'incidente automobilistico occorso al chilometro 123 della via Aurelia nella notte tra il 7 e l'8 del c.m. e che ha visto coinvolto il noto costruttore edile Davoli Giulio, residente in Roma, via Piave 87.

Il Corradini ha sostanzialmente confermato le dichiarazioni fatte al ragionier Antonio Presta, funzionario della società assicuratrice dell'auto investita, e cioè d'avere avuto la netta sensazione che non si sia trattato di un incidente ma della precisa volontà del conducente dell'auto investitrice di speronare la macchina guidata dal Davoli.

Faccio presente che il Corradini m'è parso persona equilibrata e prudente ed è inoltre dotato di vasta esperienza di guida avendo esercitato per anni il mestiere di collaudatore d'auto.

Quindi mi sono recato a visitare il Davoli in ospedale.

Egli non è ancora in condizioni di parlare avendo tra l'altro riportato una frattura alla mascella, ma ha potuto rispondere alle domande per iscritto, dato che trovavasi fornito di penna e taccuino.

Il Davoli si è mostrato assai sorpreso davanti all'ipotesi che si sia trattato di un incidente provocato ad arte.

Ha invece sostenuto che il conducente dell'auto investitrice possa avere perso il controllo della macchina a causa della pioggia e dell'eccessiva velocità.

Non ha avuto modo di notare né la targa né il tipo di macchina che l'ha investito, limitandosi a dichiarare che era "molto grande".

Ha anche decisamente escluso di avere nemici che possano odiarlo al punto tale di tentare di ucciderlo.

Ho avuto l'impressione che non fosse sincero, anzi che nascondesse qualcosa.

Ma, ripeto, si tratta di una mia impressione.

Mi sono successivamente recato nell'abitazione del Davoli per parlare con la di lui moglie.

La signora, che m'è parsa molto provata, mi
ha subito dichiarato di non essere al corrente delle attività del marito e, a una mia
precisa domanda, ha risposto che in casa non
ha mai ricevuto telefonate o lettere di minaccia contro di lui.

Mi ha detto che l'auto incidentata, una
Panda, è di sua proprietà e che suo marito
gliel'aveva chiesta in prestito.

Il Davoli, che possiede un Suv, l'aveva
lasciato posteggiato vicino casa. Senonché
la signora, quando dopo l'incidente ha deciso di mettere il Suv in garage, non l'ha
più ritrovato.

Ha fatto regolare denunzia di furto presso questo commissariato.

Domani mi recherò all'Ispettorato del Lavoro per ottenere informazioni circa le attività imprenditoriali del Davoli.

L'ispettore capo
(Attilio Bongioanni)

(proven, tested ?) I will go
exhausted

quattro

«Come sta Giulio?»

«Pare vada migliorando. Ma tu piuttosto, Maria, te lo dico in tutta sincerità, non pensavo proprio di trovarti così in forma! Sai che sei una meraviglia! Si vede che l'aria di Milano ti giova proprio!»

«Mi pare di avertelo già detto, ma questa specie di metamorfosi improvvisa di Francesco mi ha...»

«E come è stato?»

«Boh, che vuoi che ti dica? Forse il suo nuovo lavoro gli dà molte soddisfazioni... Negli ultimi tempi, qua a Roma, non passava giorno che non litigassimo, ti ricordi che una volta me ne sono andata persino a dormire in albergo?»

«Come no!»

«Bene, ora, pensa un po', non passa notte che...»

«Davvero?»

«Davvero. Mi sembra incredibile, ma, per una volta tanto, tocca a me spesso di dirgli che non ne ho voglia...»

«Beata te!»

«E poi è così affettuoso, pieno di premure, di attenzioni... sembriamo due sposini novelli, ecco.»

«Come vi invidio!»

«Guarda questo bracciale.»

«Bello!»

«Me l'ha regalato lui. E questi orecchini?»

«Splendidi.»

«Un altro regalo suo.»

«Basta così, altrimenti mi fai schiattare.»

«E con Stefano come va?»

«Meglio non parlarne, la solita noia mortale.»

«E con Giulio come andava, prima dell'incidente?»

«Nell'ultimo mese c'era stata qualche nube.»

«Non mi dire!»

«Sai, quando era in ospedale, ma io ancora non sapevo dell'incidente, è stato terribile. Non rispondeva né ai miei messaggi né alle mie telefonate. E allora ho pensato che...»

«Continua.»

«Ho pensato che mi avesse lasciata.»

«Esagerata! Ma come hai fatto a supporre una cosa simile! Giulio ti adora, letteralmente!»

«Avevo le mie buone ragioni.»

«Cioè?»

«Mi era venuto il sospetto che avesse un'altra donna.»

«Ma dài!»

«Mi ero fissata che i suoi frequenti viaggi a Grosseto... ma te ne parlerò meglio più tardi.»

«A proposito, che programmi hai?»

«Sono libera come l'aria. Stefano iersera è partito per Milano. Potrò stare con te tutto il giorno. E posso anche venire a dormire da te.»

«Io però ho qualche problema. Ho molte cose da fare. Senti, possiamo restare così. Stamattina rimani con me,

bracelet   explode - burst

vediamo quello che c'è da fare a casa, quindi andiamo a pranzo fuori, torniamo e ci fermiamo a chiacchierare fino alle cinque. Poi devo uscire per sbrigare alcune cose per la casa.»

«E a cena?»

«Sono invitata e farò tardi, credo.»

«Allora non vengo a dormire da te?»

«Possiamo organizzarci per domani sera.»

«Oggi, dopopranzo, puoi accompagnarmi in un posto?»

«Dove?»

«È una sorpresa.»

MESSAGGI RICEVUTI

------Ester------

Sono andata a via Giulia con Maria.
L'appartamento è troppo grande ma non importa,
basterà tenere chiuse tre stanze.
Mi è piaciuto molto.
Anche a Maria. Però i mobili sono orribili.
Di comodo c'è solo il letto ma è quello che occorre.
Sono felice per questo tuo pensiero e ti bacio.
Buonanotte amore mio

------Giulio------

Cambieremo i mobili appena sarò dimesso.
Pare tra due, tre giorni. Sono felice che ti sia piaciuto,
lì staremo benissimo vedrai.
baci

------Ester------

Davvero tra due giorni?
Conto minuti baci e ancora buonanotte

is necessary

«Amore mio.»
«Amore mio.»
«Non mi sazio mai di te.»
«Neanche io.»

[...]

«Pensi che tutto andrà per il meglio?»
«Ne sono più che certo.»
«Tienimi stretta.»

[...]

«Albeggia.»
«Ci facciamo un caffè?»
«Perché no?»
«Vado in cucina a prepararlo.»
«Vengo con te.»

[...]

«Oddio, che fai, matto?»
«Ti prendo in braccio e ti riporto a letto.»

[...]

«Amore mio.»
«Cuore mio.»
«Vita mia.»
«Gioia mia.»

«Sei sicuro che tutto andrà bene?»
«Sicurissimo.»
«Io ho una paura terribile.»
«Non fare la sciocca, dài!»
«E se va male?»
«Ci riproveremo.»

[...]

«Ora devo proprio andare.»
«No, te lo proibisco.»
«Non è prudente.»
«Non puoi restare fino a quando...»
«Troppo pericoloso.»

[...]

«Te ne vai?»
«Devo.»
«Che farai tutto il giorno?»
«Che vuoi che faccia? Me ne starò rintanato in albergo.»
«Ancora cinque minuti. Abbracciami.»
«Ti chiamo appena so.»
«Sarò brava.»

emphasize

I know

don't be silly, foolish   *try again*   *hold up in*

Commissariato di Roma
Corso Trieste 154

Prot n   1563/A/13
Oggetto Davoli Giulio

data: 16 gennaio 2008

Al Dottor
Costantino Lopez
Primo Dirigente

Come accennato nel precedente rapporto mi sono recato presso l'Ispettorato del Lavoro per accertamenti sull'attività dell'imprenditore edile in oggetto.

La società "Albanuova", della quale il Davoli è proprietario, ha al momento aperti tre cantieri:

1) al chilometro 38 della via Salaria per la costruzione di un centro benessere con relativo residence per gli ospiti.

2) in via Esterino Gonzaga 197 per la costruzione di un edificio di sei piani da destinare a civile abitazione.

3) al chilometro 125 della via Aurelia per la costruzione di un vasto complesso residenziale comprendente otto ville bifamiliari,

construction site

52

due piscine, un campo da tennis e un grandissimo parco.

Il Davoli risulta inoltre possedere una
diecina d'appartamenti in diversi quartieri romani, alcuni dei quali dati in affitto.

All'Ispettorato del Lavoro è pervenuta
in data 2 c.m. (quindi pochi giorni prima
dell'incidente d'auto nel quale è stato coinvolto il Davoli) una denunzia anonima nella
quale si segnalava come nel cantiere di via
Aurelia esistessero gravissime irregolarità.

Gli ispettori, inviati in loco, hanno riscontrato la quasi totale carenza delle misure
antinfortunistiche, il largo uso di extracomunitari pagati in nero e altre rilevanti (anche
penalmente) inosservanze delle norme in vigore.

L'Ispettorato chiederà, a decorrere da oggi
stesso, l'immediata chiusura di detto cantiere e ha già disposto ispezioni immediate
negli altri due cantieri del Davoli.

Dal che si evince come l'affermazione fatta dal Davoli al sottoscritto, e cioè quella di non avere nemici, sia quanto meno az-
zardata se non mendace.

Colui che ha scritto la lettera anonima
all'Ispettorato non può essere certo defini-
to un suo amico.

Faccio inoltre notare che il cantiere di via
Aurelia si trova appena due chilometri prima
(direzione Roma) del luogo dell'incidente.

Una semplice coincidenza?

[handwritten margin note, right: "sarcastic"]

[handwritten notes at bottom: "found lack   anti-accident / non-residents(?) relevant, important / in force as of whence it follows / risky"]

53

Oppure il mancato assassino si è appostato nel cantiere in attesa di veder passare la Panda guidata dal Davoli?

Faccio ancora presente che la Panda era di colore giallo, perciò visibile e distinguibile anche in una notte di pioggia.

Inoltre, chi poteva sapere che il Davoli quel giorno si sarebbe recato a Grosseto tornando a sera inoltrata?

Tutto questo lascia supporre che a inviare la denunzia anonima e a organizzare il tentato omicidio possa essere stato qualcuno che lavora nel cantiere di via Aurelia alle dipendenze del Davoli.

L'ispettore capo
(Attilio Bongioanni)

— *È andato tutto bene. Ora vattene a letto tranquilla.*

— *Non ci riuscirò. Sarei davvero una merda.*

— *Non mi dire che ora ti vengono i rimorsi.*

— *No, no. Prenderò qualcosa per dormire.*

— *Ti adoro.*

— *A presto, gioia mia.*

— Pronto?

— È la signora De Stefani?

— Sì.

— Maria De Stefani?

— Sì, ma chi parla?

— Sono il commissario De Luca.

— Commissario?!

— Telefono da Milano.

— Come ha avuto il mio numero? Gliel'ha dato mio marito?

— Non suo marito, signora, l'abbiamo avuto dal Plaza.

— Ma insomma che vuole?

— Ecco, signora, dovrebbe tornare a Milano prima che può.

— Tornare? Ma perché, scusi?

— Perché... suo marito... non sta bene.

— Francesco?!

— Sì, signora.

— O Dio mio, che è successo?

— Signora, mi dispiace... è grave.

— Oddio oddio...

— Signora, non faccia così...

— Oddio oddio... In quale ospedale si trova?

— Signora, è inutile che glielo dica, suo marito
non è assolutamente in condizioni di parlare.

— E come faccio a...

— Guardi, signora, prenoti un posto in aereo
e mi comunichi a che ora arriva. Manderò a prenderla
all'aeroporto. Ripeto, sono il commissario De Luca
e il mio cellulare è 340282XXXX. Ha preso nota?

— Sì. Dio mio...

— Ester! Dio mio, Ester!

— Maria! Che hai? Che ti succede?

— M'hanno appena telefonato da Milano.
O Dio mio, Dio mio!

— Maria, per favore, parla! Non mi...

— Pare che Francesco abbia avuto... stia molto male...
è grave.

— Grave?! Ma chi ti ha telefonato?

— Non so... un commissario... non ho capito bene,
ora vedo se c'è subito un volo...

— Ti raggiungo immediatamente. Stai calma.

— Sì, vieni, vieni.

— T'accompagno a Fiumicino.

MESSAGGI RICEVUTI

------Ester------

Sto accompagnando Maria a Fiumicino,
deve tornare a Milano xchè pare che
Francesco stia molto male.
Non si capisce bene.
Ti farò avere notizie + tardi.
Baci

------Giulio------

7

Ti prego non farti viva con messaggi
almeno fino a domani.
Qui stanno arrivando avvocato e responsabile lavori,
ispettorato ha chiuso cantiere via Aurelia forse in corso
procedimento penale a mio carico.
Sono sconvolto anche xchè non riesco a comunicare
con mia moglie che è sparita.
Scusami puoi andare a casa mia e vedere cosa succede?
Ti puoi presentare a lei come mia seconda segretaria,
tanto lei di persona non ti conosce.
Ti manderò Giacomo nel pomeriggio, scrivimi
un biglietto. Baci

in my name

*If ever it was
needed*

«Desidera?»

«Sono la signora Giuditta Davoli, desidero parlare col Capitano Fazi.»

«Non so se il signor Capitano è libero.»

«Guardi che ho un appuntamento. Ci siamo telefonati ieri.»

«Un momento, prego. Capitano? C'è qui una certa signora Davoli che...»

«Ho capito. Arriva subito, signora.»

[...]

«Buongiorno, signora. Sono Fazi.»

«Buongiorno.»

«Vuole seguirmi nel mio ufficio? Colombari, prendi le valigie della signora. Mi segua, le faccio strada.»

[...]

«Dunque, signora?»

«Come lei mi ha consigliato per telefono, ho preso tutte le carte che aveva a casa, nel suo studio. Stanno in questa valigia.»

«Semmai ce ne fosse bisogno, potrei venire a casa sua per un ulteriore controllo?»

«Guardi che ho preso tutto quello che c'era. Ho persino scassinato un cassetto della scrivania ch'era pieno di carte. Lì teneva i registri veri e i conti dei soldi esportati all'estero.»

«Signora, non perderemo tempo, gliel'assicuro. In caso di necessità, dove posso rintracciarla?»

«A casa mia non ci torno, Capitano. Appena quello viene a sapere che l'ho denunziato alla Finanza, è capace di mandare qualcuno ad ammazzarmi.»

«Dove pensa di andare?»

«In un residence di via Asmara. Comunque le lascio il mio cellulare.»

cinque

Giulio amore mio,
una notizia terribile: Francesco, il marito di Maria, è morto
in un incidente. L'ho accompagnata a Fiumicino, e poi
mi sono precipitata a casa tua. Ho bussato a lungo,
ma nessuno è venuto ad aprire. Allora sono ridiscesa
e ho domandato notizie alla portinaia.
Questa mi ha detto che la signora
era uscita verso le nove del mattino e che aveva
con sé due valigie. Pensando che sarebbe ritornata per l'ora
di pranzo ho aspettato in macchina fino alle tre del pomeriggio.
Poi me ne sono tornata a casa perché ero molto stanca.
Alle cinque ci sono riandata, ma la portinaia mi ha detto
che non era ancora rientrata. Ho aspettato fino alle sei
ma invano. Io stasera non mi muovo di casa, se hai istruzioni
da darmi rimandami Giacomo. Se vuoi io sono capace di andare
a bussarle anche di notte. Sono molto in ansia per quello
che mi hai scritto, spero che tutto si risolva per il meglio.
Baci infiniti.
Tua per sempre

Ester

If the crowd was pushing to the doors, the train was already there. How could he fall on the tracks

IL GIORNO

Disgrazia mortale nella metropolitana

Ieri mattina alle ore 7.30 alla fermata di piazza Cordusio della linea 1 della metropolitana è accaduta una disgrazia mortale a dir poco assolutamente imprevedibile.

Poiché a partire dalle ore 12 era stato proclamato lo sciopero dei trasporti cittadini, grande era la ressa dei viaggiatori alle fermate. Al sopravvenire del treno, come sempre accade, la massa della gente in attesa si è velocemente incamminata in anticipo verso le vetture prima che esse fossero ferme. Al signor Umberto Galanti, di anni 55, è caduto il parapioggia che teneva appeso al braccio ed egli si è chinato per raccoglierlo sollevandolo per la punta. In quel mentre arrivava di corsa il dottor Francesco De Stefani, di anni 44, romano ma attualmente a Milano, manager di una nota azienda, che inciampava col collo del piede nel manico del parapioggia e, perduto l'equilibrio, andava a finire sotto le ruote del convoglio. Prontamente soccorso e trasportato all'ospedale Fatebenefratelli egli vi è purtroppo giunto privo di vita. I moltissimi viaggiatori presenti al fatto hanno concordemente testimoniato che si è trattato di una tragica fatalità. Il servizio della linea metropolitana è stato sospeso per oltre due ore, aggravando le già precarie condizioni dei trasporti pubblici. Il signor Galanti, profondamente sconvolto, ha dovuto far ricorso alle cure mediche per lo choc subito quale causa involontaria dell'atroce morte del dottor De Stefani, anche in considerazione del fatto che egli presta servizio come fattorino nella stessa azienda della quale era dirigente la vittima.

? ci ? è arrivato

unusual

accident — to say the least — to put it mildly
unexpected   crowd   bent down, tip
meanwhile   in a hurry   wellknown, famous
stumble, trip   into tip   train   new? for more than

— Amore mio, come stai? È andato tutto che meglio
di così non si poteva. Noi ne saremo
per sempre fuori, tu sei stata bravissima.
— Lo sai che se sono brava è perché tu sei
sempre con me anche se ti trovi lontano.
Ora per te viene la parte più difficile.
Mi raccomando, sii prudente.
— Sì, è vero, abbiamo qualche altra prova
da affrontare ma poi saremo di nuovo insieme
per tutta la vita.

everything went as well as it could?

Mom: Warning
Friend: Please —
I'm suggestion

to medical care

MESSAGGI RICEVUTI

------Giulio------

Non andare + a casa mia penso
che Giuditta mi abbia giocato un brutto tiro
che potrà rovinarmi.
Ti spiegherò tutto a voce.
Oggi sarò dimesso ho deciso di andare ad abitare
provvisoriamente a via Giulia.
Domattina se puoi possiamo incontrarci lì.
Non dire niente a nessuno.
A presto. Baci

play a dirty trick / pull [handwritten]

------Ester------

Se tua moglie ti ha lasciato,
che problema c'è se vengo a prenderti all'ospedale?

------Giulio------

Forse non capisci.
Se Giuditta ha fatto quello che penso
io sono rovinato. Di certo
ha scoperto la nostra storia e si è vendicata.
La mia posizione è molto delicata,
tu porta molta prudenza.   *be very careful* [handwritten]
Abbiamo dovuto lasciare Borgo Pio
xchè pensavi che tuo marito sospettasse di noi
e avesse scoperto il luogo dei nostri incontri.
Cerchiamo questa volta di essere + cauti
anche xchè se accadrà ciò che temo
andrò a finire sulle prime pagine dei giornali

verbally (talking) [handwritten]

e non vorrei che tu ne venissi sfiorata.
Io ti scongiuro di usare molta cautela
quando verrai a trovarmi baci

------Ester------

Stefano esce di casa alle otto per andare in ufficio.
Sei d'accordo se vengo da te alle nove?

------Giulio------

Va bene alle nove ma cerca di essere puntuale
xchè alle undici viene l'avvocato

------Ester------

Così poco non mi basta

------Giulio------

Tranquilla ci rifaremo baci

involuted (brushed against)

«Com'è andata a Milano?»

«Bene. Ci devo tornare tra qualche giorno.»

«Oggi mi ha chiamato Maria.»

«A proposito, Ester, perché non mi hai telefonato a Milano dicendomi quello che era capitato a suo marito?»

«Ti ho chiamato, ma avevi il cellulare spento.»

«Ero in riunione.»

«E dopo mi è uscito di testa.»

«Sarei andato a trovarla, forse avrei potuto esserle d'aiuto...»

«Non ci ho proprio più pensato, ero sconvolta.»

«Che intende fare?»

«Chi?»

«Maria.»

«Te l'ho detto, m'ha chiamata stamattina. Appena avrà sbrigato tutto, se ne torna a Roma. Non ha più motivo di stare a Milano.»

«Dove lo seppelliscono?»

«Qua a Roma, nella tomba di famiglia.»

«Poveraccio! Ma tu pensa alla stranezza di quest'incidente! Tutto pare calcolato al millesimo, quello che solleva l'ombrello, Francesco che arriva di corsa...»

«Mah, si vede che era destino.»

«Già. Questo formaggio non ha sapore.»

«Davvero? E dire che l'ho preso al biologico!»

takin care of

66

«Amore mio, tu non sai quanto ho atteso questo momento! Lasciati baciare! Ancora, ancora! Dio come ti desidero! Sei un po' dimagrito, lo sai? Ti fa male la testa? No? E il torace? Nemmeno? Quando potrai tornare a parlare?»

potrei parlare anche ora ma faccio troppa fatica

«Mi pare così strano! Io che ti parlo e tu che mi rispondi scrivendo! Che ne dici, andiamo di là?»

non abbiamo tempo e io ho davvero troppi, troppi pensieri...

«Darei la vita per te, amore mio dolce. Ma mi stai facendo preoccupare. Spiegami.»

ho mandato la mia segretaria a casa dandole le chiavi, lei è entrata, ha guardato e ha visto che Giuditta si è portata via tutte le carte dallo studio, ha anche scassinato un cassetto, ho paura che voglia ricattarmi minacciando di portare alla Finanza i documenti che ha rubato

«Ma perché sta facendo questo?»

credo che abbia scoperto la nostra storia e gelosa com'è ha perso le staffe

«Ma come avrà fatto a scoprirla?»

una spiegazione c'è. un attimo prima che venissi speronato avevo in mano il cellulare per avvertire Giuditta che tra un'ora e più sarei arrivato. mi sono convinto che durante la caduta l'avevo perso e non l'ho cercato. solo ieri ho saputo che è stato consegnato a Giuditta. ora dimmi una cosa: mi hai mandato dei messaggi?

«Certo, visto che non mi rispondevi... non sapevo che pensare... te ne avrò mandati tre o quattro.»

è chiaro che questi ultimi Giuditta li ha letti. gli altri li ho tutti cancellati

«Dio mio! Speriamo che non faccia uno scandalo! Stefano è capace d'ammazzarmi. Che vuoi chiedermi?»

«Ascolta... be... ne...»

«Sei sicuro di poter parlare?»

«Ci provo. Prima che tu vada via ti darò cinquantamila euro in contanti. Nascondili da qualche parte.»

«Cinquantamila euro? E per farci cosa?»

«Devi assoldare immediatamente un investigatore privato, pagalo quello che vuole ma deve scoprire nel più breve tempo possibile dove si nasconde Giuditta. Io non posso farlo perché ho il sospetto che i miei movimenti saranno a breve controllati.»

«Allora sapranno anche che vengo a trovarti!»

«Credo che non avverrà prima di tre o quattro giorni.»

«E dopo?»

«Dopo si vedrà, meglio non pensarci al dopo. Tutto dipende da quello che farà Giuditta. Lo sai? Può spedirmi dritto in galera, se vuole!»

«Glielo impedirò, non dubitare. Prenderò il più bravo investigatore che c'è! Mi accennavi anche a una questione che riguardava un cantiere...»

«Sì, ma quello è il meno. Lì so come muovermi. Me la cavo con qualche grossa multa e la chiusura per un po' del cantiere. Il pericolo grave è Giuditta.»

«Senti, non parliamo più di queste cose.»

«Andiamo di là?»

«Ma abbiamo solo un'ora!»

«Meglio che niente, dài!»

sei

— *Pronto, Giulio?*
— *Giuditta! Finalmente! Ti ho cercata per mare
e per terra! Che bello sentire di nuovo la tua voce!
Mi spieghi perché sei scomparsa, così, all'improvviso?
Da dove mi chiami?*
— *Vedo con piacere che ti è tornato l'uso della parola.*
— *Sì, ma faccio fatica. Da dove chiami?*
— *Non ha importanza da dove chiamo.*
— *Un momento!*
— *Che c'è?*
— *Come fai a conoscere questo numero?*
— *Sei un povero stronzo! Indovina un po'.*
— *Non riesco a...*
— *Allora te lo dico io. Tra le tue carte, tra parentesi
molto interessanti, ho trovato l'elenco di tutti
gli appartamenti che possiedi a Roma.
Accanto a qualcuno c'era anche un numero
di telefono. Al terzo tentativo ti ho trovato.
Quindi so anche dove ti sei trasferito.*
— *Oh cazzo! Ti posso spiegare tutto.*

disappeared

FUCK

piece of shit, asshole

69

— Stai zitto. Non ho ancora finito. Ho saputo dalla portinaia
che hai mandato la tua fidata segretaria
a casa nostra, anzi nell'ex casa nostra.
Hai visto la bella sorpresa che ti ho preparato?
— Giuditta, io capisco il tuo risentimento,
la tua rabbia anche... ma non ti sembra di esagerare? ✳
In fondo per me si è trattato di una volgare
e banale avventuretta che non ha minimamente
intaccato il profondo sentimento che nutrivo e
continuo a nutrire verso di te. Forse oggi
diventato più vero e autentico di ieri!
— Ma va' a cagare!
— Giuditta, non possiamo incontrarci
anche per soli dieci minuti?
— No.
— Ascoltami, Giuditta, quelle carte che hai rubato
sono anche disposto a ricomprarmele.
— Questa mi pare una proposta interessante.
— O Dio benedetto! Lo vedi che parlando si risolve tutto?
Bisogna sempre ragionare sulle cose!
— Mi pare di stare ragionando, no?
— Sì, sì. Allora, vogliamo stabilire subito dove mi vuoi
incontrare per parlarne?
— Ma io non ho nessuna intenzione d'incontrarti!
— Preferisci che ne parliamo per telefono?
— È meglio.
— Quanto chiedi?
— Non meno di venti milioni.
— Di euro?
— E di cosa, secondo te?
— Ma è un'enormità! Tu sei fuori di senno!

affected   fuck off   out-of-your mind

E poi al momento io non ho questa disponibilità...
E oltretutto per adesso sono in una grave difficoltà...
Lo sai? Mi hanno chiuso un cantiere e...
— *Lo so.*
— *Chi te l'ha detto?*
— *Nessuno.*
— *E come fai a saperlo?*
— *Ho scritto io la lettera anonima all'Ispettorato
del Lavoro.*
— *Cazzo! Allora vuoi la mia rovina?*
— *Te ne accorgi ora?*
— *Senti, Giuditta... ti scongiuro... ti supplico... per carità,*
ridammi quelle carte!
— *Che bello!*
— *Cosa?*
— *Sentirti implorare... Ti ho telefonato perché
ci speravo proprio di ridurti così!*
— *Senti, d'accordo, venti milioni e non parliamone più.*
— *Troppo tardi.*
— *Che significa?*
— *Ho consegnato le carte alla Guardia di Finanza.*
— *Che hai fatto?!*
— *Hai capito benissimo. Addio. Anzi, a rivederci
in tribunale.*

[handwritten annotation: for heavens sake / or Please]

MESSAGGI RICEVUTI

------Giulio------

Lascia perdere l'investigatore.
Giuditta ha già consegnato le mie carte
a guardia finanza.
Sono rovinato.
Abbandono immediatamente via Giulia.
Continueremo a tenerci in contatto per sms

------Ester------

Sono spaventata e confusa
comunicami almeno nuovo indirizzo.
Non posso stare senza vederti ti prego
non lasciarmi senza notizie ti stringo forte

------Giulio------

Non ho ancora deciso dove andare.
Finanza possiede elenco miei appartamenti.
Spero trovare amico che mi ospiti per qualche giorno.
Ti farò sapere.
Non prendere iniziative

«L'ascolto, signora Davoli.»

«Non le farò perdere tempo, avvocato. Sono qui da lei perché voglio divorziare da mio marito.»

«Da Giulio?!»

«Quel marito solo ho.»

«Mi perdoni, signora, ma sono sbalordito. È un vero e proprio fulmine a ciel sereno. Vi conosco da anni e non sospettavo minimamente che le cose tra voi andassero...»

«Neanche io lo sospettavo.»

«E come mai è giunta a questa decisione?»

«Ho scoperto che mi tradisce.»

«Ah ah!»

«Lo trova divertente?»

«Signora, mi permetta. Se tutti, donne e uomini, divorziassero per un semplice tradimento del rispettivo coniuge, noi divorzisti non avremmo il tempo nemmeno per respirare!»

«Non lo metto in dubbio. Ma io sono decisa a divorziare.»

«Ci ha pensato bene? A lungo? A mente fredda? Perché spesso sull'onda dell'offesa e del risentimento si prendono decisioni che invece se fossero ben ponderate...»

«Avvocato Mirabella, se lei non vuole interessarsene, basta che me lo dica.»

«Lei capisce che è mio dovere prima di tutto cercare di salvaguardare...»

«Il suo dovere l'ha fatto.»

«Va bene. Giulio lo sa?»

«No.»

«Non pensa che sarebbe come minimo opportuno parlarne con lui prima d'iniziare gli atti?»

«Non intendo parlargli.»

«Come vuole. Come ha scoperto che Giulio la... Però, signora, prima che mi dia una risposta, la devo avvertire che occorrono fatti, fatti concreti, non supposizioni, sospetti...»

«Avvocato, io credo che mio marito abbia cominciato a tradirmi sei mesi dopo il nostro matrimonio, ma si trattava di scappatelle alle quali non ho voluto dare importanza anche se mi offendevano profondamente.»

«Signora, lei dovrebbe capire che un uomo sanguigno, vitale, espansivo come suo marito...»

«E infatti ho lasciato correre.»

«Be', non mi pare che...»

«Ho lasciato correre fino a quando non ho capito, mesi fa, che si era lasciato prendere da una storia seria con una tale Ester.»

«Signora, ne ha le prove?»

«Non parlo a vanvera. Ho assoldato un investigatore privato. Che potrà testimoniare.»

«Davvero?»

«Sì. Posso dirle persino dove s'incontravano.»

«Me lo dica.»

«A Borgo Pio, in un appartamento di proprietà di Giulio. L'investigatore li ha filmati diverse volte mentre entravano, a pochi minuti di distanza l'uno dall'altra, nello stesso portone. E questa Ester non aveva nessun motivo di andare là. Se non per scopare con Giulio. Le basta?»

«Direi di sì. Però...»

«Dica.»

«Torno a ripeterle, chi le dice, come lei suppone, che
si tratta di una cosa seria?»

«Me lo dicono i messaggi disperati che questa Ester
gli ha inviato quando lui non poteva rispondere perché era ricoverato in ospedale. Vede questo?»

«Sì, è un cellulare.»

«È quello di Giulio, quello che aveva con sé al momento dell'incidente. Ci sono i messaggi di Ester che
le ho detto. Ha persino chiamato me, la troia, per avere notizie del suo amante!»

«Come l'ha avuto?»

«Il cellulare? Me l'hanno dato all'ospedale assieme
ad altri effetti personali. Se l'accende, e va a "Messaggi
Ricevuti", potrà fare un'altra scoperta, come purtroppo l'ho fatta io.»

«E cioè?»

«E cioè che Giulio andava a Grosseto perché aveva
una storia con una certa Gianna.»

«Contemporaneamente a quella che aveva con Ester?!»

«Perché se ne meraviglia? Mi ha appena finito di dire
che Giulio è un uomo sanguigno, vitale... I messaggi di
Gianna precedono quelli di Ester. Prima Gianna è im-
paziente perché Giulio porta ritardo. Poi felice e ap-
pagata dell'incontro. Quindi vogliosa di averne al più
presto un altro...»

«Signora, facciamo così. Mi lasci il cellulare e ri-
vediamoci domani. La notte, come si usa dire, porta
consiglio.»

«Avvocato, guardi che il divorzio, se non lo chiedo
io, di sicuro lo chiederà lui.»

«E perché?»

«Perché l'ho denunziato alla Finanza.»

«L'ha denunziato?!»

«Sì.»

«Madonna mia!»

«E ho consegnato loro le carte del suo studio, dove ci sono i suoi falsi in bilancio e i suoi conti esteri.»

«L'ha rovinato!»

«Appunto.»

False accounting

«Non ti senti bene, Ester?»

«Perché me lo chiedi?»

«Ti vedo pallida, sciupata, stanotte non hai fatto altro che rigirarti nel letto...»

«Ti ho dato fastidio? Scusami.»

«Nessun fastidio. Però mi preoccupi.»

«Che vuoi che ti dica? Da ieri ho un gran mal di testa. Ho anche dei brividi di freddo.»

«Riguardati, mi raccomando. Forse hai bisogno di svagarti, è da quando è capitata la disgrazia di Francesco che non...»

«Mi ha colpita molto.»

«Lo vedo. Senti, perché non vai a trovare Maria per qualche giorno? Magari ne ha bisogno...»

«A Milano?»

«Sì.»

«E tu?»

«Io cosa?»

«Come te la caveresti senza di me?»

«Ma dài! Non dire sciocchezze!»

«Quasi quasi...»

«Se vuoi, ti faccio prenotare un volo per venerdì sera. E ti accompagno io a Fiumicino.»

«Va bene. Ti ringrazio.»

«Passami la frutta.»

pleaked chilk take care of yourself

i beg of you ammac, take mind off

accident nonsense

I'm really tempted (almost, almost)

— Maria, come stai?
— Ester! Non ti sei fatta più sentire!
— Sai, Giulio è stato dimesso e...
— Vi siete visti?
— Sì, due ore. Ma poi si è scatenato il finimondo!
— Cioè?
— Pare che sua moglie abbia scoperto la nostra storia e,
   per vendicarsi, l'abbia denunziato alla Finanza.
— Ma non mi dire!
— Mi dispiace tediarti con le mie storie...
   tu che stai soffrendo per...
— Non ti preoccupare, ho bisogno di distrarmi.
— Va bene... Giulio non vuole che lo vada a trovare
   perché teme che io possa essere coinvolta nello scandalo.
   Sto così male che persino Stefano se ne è accorto!
— E tu che gli hai detto?
— Che non mi sentivo bene.
— E lui?
— M'ha proposto di venire a trovarti.
— Mica è un'idea sbagliata!
— Allora tu sei d'accordo?
— Che domande! Sono felice! Quando arrivi?
— Stefano mi prenota un volo per venerdì sera.
— E io ti prenoto subito una stanza nel mio albergo.

pandemonium is unleashed

bar

not a bad idea = a glorious idea

— Pronto, signora Davoli?

— Sì.

— Sono l'avvocato Mirabella.

— Mi dica, avvocato.

— Signora, per iniziare le pratiche del divorzio
avrei bisogno di mettermi in contatto con Giulio.
O almeno avere un suo recapito.

— L'ultima volta che gli ho parlato abitava in via Giulia.
È un suo appartamento, uno dei tanti.

— Mi scusi, signora, l'ha visto di persona?

— No, l'ho chiamato al telefono fisso di quell'appartamento.

— Mi può dare il numero?

— Inutile, a quest'ora Giulio l'avrà lasciato, lo conosco bene.

— Mi scusi ancora, signora, ma lei l'ha quindi chiamato
dopo che è stato dimesso dall'ospedale?

— Sì.

— Quando aveva già consegnato le sue carte alla Finanza?

— Sì.

— E perché?

— Perché volevo che mi supplicasse di non farlo.
E gli ho anche detto che il cantiere di via Aurelia
gliel'hanno chiuso perché ero stata io a denunziarlo
all'Ispettorato del Lavoro.

— Ma come ha fatto a intuire che in quel cantiere
c'erano irregolarità?

— Perché una volta il cretino mi ci ha portata.
E io ho l'occhio lungo, sa?

— Non lo metto in dubbio, signora.

address

IL GIORNO

Arrestato alla frontiera
noto imprenditore edile romano

Nella serata di ieri è stato arrestato, mentre tentava di espatriare in Svizzera, il noto imprenditore edile romano Giulio Davoli. Contro di lui pendeva un mandato di cattura emesso dal pm Giovanni Lamacchia per falso in bilancio, esportazione di capitali all'estero e riciclaggio. Inoltre un suo cantiere è stato nei giorni scorsi chiuso perché l'Ispettorato del Lavoro vi aveva riscontrato gravissime irregolarità. Corre voce che il Davoli, il quale tempo fa era rimasto ferito in un incidente stradale, sia stato denunziato prima all'Ispettorato del Lavoro e poi alla Guardia di Finanza dalla di lui moglie che ha voluto vendicarsi delle sue infedeltà coniugali. Si dice anche che la signora si sia rivolta a un avvocato romano per iniziare le pratiche di divorzio. E quest'ultima, forse, non sarebbe la peggiore delle disgrazie capitate al Davoli, visto e considerato il carattere non certo accomodante della sua novella Santippe.

apprehension/capture
found
money laundering
wife of Socrates –
shrew = giudittu

80

sette

— *Capitano Fazi?*
— *Sì?*
— *Buongiorno. Sono l'ispettore capo Bongioanni.*
  Si ricorda di me?
— *Certo. Come sta?*
— *Non c'è male. Avrei bisogno di un'informazione.*
— *Se posso...*
— *Vorrei indirizzo e numero di telefono della signora*
  Giuditta Davoli. Noi non riusciamo a rintracciarla.
  Lei certamente ce li avrà.
— *Perché le servono?*
— *Perché tempo fa la signora ha denunziato il furto*
  di un Suv appartenente al marito. Ne abbiamo
  trovato uno abbandonato, ma senza targa.
  Vorremmo farglielo vedere e...
— *Le do subito i dati che le servono.*

[...]

— *Signora Davoli?*
— *Sì.*
— *Ho avuto il suo numero dal Capitano Fazi*
  il quale mi ha anche dato il suo indirizzo.

— Ma chi parla?

— Ah, mi scusi, sono l'ispettore capo Bongioanni della questura di Roma.

— Avete ritrovato il Suv?

— Non ancora. Ma avrei bisogno di parlare con lei.

— Di cosa?

— Di diversi argomenti. Vengo io da lei o preferisce venire in questura?

— Preferisco venire da voi.

— Allora l'aspetto stamattina, le va bene?

— Va bene.

— Secondo piano, stanza 24. Bongioanni.

— Pronto? Maria, <u>non reggo più</u>! Ho la febbre alta!
Sto per <u>scoppiare</u>! Per caso, dando una guardata
al "Giorno", ma proprio per caso, ti dico, ho visto
che hanno arrestato Giulio! Tu lo sapevi?
— Sì, l'ha detto il telegiornale.
— Senti, Stefano mi ha preso il biglietto.
Arrivo a Malpensa domani sera alle dieci.
— Ti vengo a prendere.
— Va bene. Ma mi devi fare un grossissimo favore.
— Dimmi.
— Ce l'hai un avvocato amico?
— Sì. Mi sta aiutando per le pratiche su Francesco.
— Puoi domandargli se riesce a sapere in quale carcere
si trova Giulio?
— Perché?
— Lo voglio andare a trovare.
— Ma sarà impossibile!
— Cosa?
— Andarlo a trovare!
— E tu che ne sai?
— Lo so. Intanto credo che in questi giorni non possa
incontrare nessuno, salvo il suo avvocato,
e poi tu non sei una persona di famiglia.
— Non me ne importa un cazzo! Ci devo riuscire!
Intanto cerca di sapere dove l'hanno portato.
— Va bene.
— A domani.

I can't handle it anymore
explode

«Signor Davoli, sono l'avvocato Zulema. Per incarico dell'amico e collega Vannuccini, suo avvocato di Roma, sarò il suo rappresentante qui a Milano.»

«Ci resterò molto?»

«A Milano, dice? Non credo, sono certo che la procura di Roma chiederà subito il trasferimento. Io ho il compito di assisterla durante il primo interrogatorio del pm. Ha qualcosa da dirmi al riguardo?»

«Avvocato, cosa vuole che le dica? Con le carte che mia moglie ha loro fornito, possono fottermi come vogliono.»

«E infatti Vannuccini m'ha accennato che l'unica linea di difesa sarebbe...»

«Avvocato, mi stia a sentire, c'è una cosa più importante.»

«Cioè?»

«Ho ragione di pensare che Giuditta, mia moglie, abbia tentato d'assassinarmi.»

«Ma che dice?! Quando?! Dove?»

«Lei non ne sa nulla, naturalmente. Ma Vannuccini le potrà dare tutti i particolari che vuole. Mi ha assicurato che riferirà ogni cosa, in forma privata, s'intende, a qualcuno della questura di Roma... Comunque, sono stato speronato volontariamente e gettato fuori strada da una grossa macchina mentre tornavo a Roma da Grosseto.»

«Ci sono testimoni?»

«Sì. Quello che m'ha tirato fuori dalla macchina sostiene che si è trattato di uno speronamento voluto.»

«Ma perché pensa che alla guida ci fosse sua moglie? L'ha vista in faccia?»

«No. Però guardi, fino a quando Giuditta non m'ha detto che era stata lei a denunziarmi all'Ispettorato del Lavoro e alla Finanza, a me, che fosse stata lei a provocare l'incidente, non mi era passato nemmeno per l'anticamera del cervello. Ma ora, vedendo di quanto odio è capace, comincio a pensare seriamente che sia stata lei.»

«Troppo poco per una denunzia.»

«Allora non posso fare niente?»

«Grazie di essere venuta, signora Davoli.»

«Potevo rifiutarmi a questo interrogatorio?»

«Non si tratta di interrogatorio, signora, ma di quattro chiacchiere alla buona. Come vede, in questa stanza siamo solo lei e io e nessuno sta verbalizzando.»

«Di che vuole parlare?»

«Entro subito in merito.»

«Grazie, anche perché ho poco tempo.»

«L'avvocato Mirabella...»

«Come avete fatto a sapere che mi sono rivolta a lui? Mi fate seguire? Con che diritto? La vittima di questa situazione sono io e non...»

«Signora, per carità, non s'inalberi! Non abbiamo nessun motivo per pedinarla! Ma che va a pensare?»

«Allora come avete fatto a sapere che...»

«Signora, sappiamo come muoverci.»

«Ho capito.»

«Dunque, l'avvocato ci ha fatto sapere che lei aveva incaricato un investigatore privato di seguire suo marito.»

«È vero. È contro la legge?»

«Ma quando mai! Io voglio solo domandarle se me ne può dare nome, cognome, indirizzo e numero di telefono.»

«Luca Tedesco, via dei Prati Fiscali 1023, telefono 0637352XXX.»

«Lo conosco. È un professionista serio.»

«Lui non potrà che confermare quanto ho detto all'avvocato.»

«Mi dice anche, se ce l'ha, il nome e l'indirizzo dell'amante di suo marito?»

«Quale?»

«Cominciamo da quella di Roma.»

«Ester Gigante, anni ventotto, sposata con l'avvocato Stefano Marsili. Vivono in via Nemorense 38.»

«E quella di Grosseto?»

«So solo che si chiama Gianna. Il cognome potrebbe essere Livolsi. Una volta vidi la busta di una lettera indirizzata a mio marito che aveva come mittente Gianna Livolsi.»

«E non c'era l'indirizzo?»

«C'era, la lettera veniva da Grosseto, ma l'indirizzo l'ho dimenticato. Allora non sospettavo che...»

«Signora, conferma che è stata lei a inviare la lettera anonima all'Ispettorato per il cantiere sull'Aurelia?»

«Sì.»

«Perché anonima?»

«Semplice. Perché volevo essere io a dargli la buona notizia.»

«Lei in quel cantiere c'era già stata, mi pare.»

«Vedo che è bene informato. Sì, mi ci aveva portata Giulio.»

«Mi levi una curiosità. Come ha fatto a capire che c'erano molte cose non in regola?»

«Ma con tutte queste disgrazie sul lavoro... Giornali e televisioni ne parlano in continuazione... lì c'erano tanti muratori extracomunitari... lavoravano senza caschi... nelle impalcature non c'erano ringhiere di protezione... M'è bastata un'occhiata per capire.»

«Complimenti. C'è stata una sola volta e...»

«No, per la verità c'ero già stata prima. Ma non ero scesa, ero restata in macchina, lui doveva solo dire una cosa al direttore dei lavori.»

«Bene, signora, io per ora non avrei più nulla da...»

«Ancora niente del Suv?»

«Signora, non sono io l'incaricato, ma mi sono informato. Niente. Però, se fossi in lei, mi metterei il cuore in pace.»

«In che senso?»

«Nel senso che lo sa quante auto rubano al giorno? E quante poche se ne ritrovano? Auto così poi, le rubano su commissione per portarle all'estero. E noi non è che abbiamo tutti questi uomini per le ricerche...»

«Ho capito. Quindi, secondo lei, capace che il ladro in questo momento gira per Roma sul Suv rubato senza che nessuno se ne accorga?»

«È molto probabile, signora.»

— La signora Ester Marsili?
— Sono io. Chi è al telefono?
— Signora, senta, glielo domando nel suo stesso
  interesse, lei in questo momento è in grado
  di parlare liberamente?
— Non capisco.
— Siccome si tratta di una faccenda strettamente
  confidenziale, le chiedo: ha persone intorno
  che possano sentirla?
— Sono sola in casa. Ma chi parla?
— Sono l'ispettore capo Bongioanni della questura
  di Roma.
— Oddio, che è successo?!
— Stia calma, non si agiti. Avrei bisogno urgente di parlarle.
— Ma su cosa?
— Sulla sua relazione con Giulio Davoli.
— Oddio mio, oddio mio... Come l'avete saputo? Dio mio!
— La signora Davoli ha chiesto il divorzio dal marito.
  E ha fatto il suo nome, mi dispiace.
— Sto svenendo... aspetti che vado a bere un po' d'acqua...
  Eccomi. Quanti sono a saperlo?
— Signora, per ora in pochi. E non abbiamo nessun interesse
  che il suo nome venga messo in circolazione.
  Stia tranquilla. Le assicuro che il nostro colloquio
  resterà assolutamente riservato. Può venire in questura?
— Preferirei di no.
— Vengo io a casa sua in un'ora in cui c'è solo lei?
— Non potremmo incontrarci in un caffè?
— Come vuole. Potremmo fare dopodomani mattina al...
— Un momento. Domani sera parto per Milano. Starò fuori
  qualche giorno. Si potrebbe fare domattina?

— D'accordo. Allora ci vediamo da Rosati, in piazza del Popolo,
alle dieci.
— Va bene.

[...]

— Pronto?
— Chi è?
— La signora Gianna Livolsi?
— A parte il fatto che non sono signora, sì, sono io.
— Signorina, io sono l'ispettore capo Bongioanni
della questura di Roma.
— Ho capito.
— Che cosa?
— Perché mi sta chiamando.
— Vediamo se ha indovinato.
— Si tratta di qualcosa che riguarda Giulio Davoli.
— Ha fatto centro.
— Che ho vinto?
— Ha vinto la possibilità di parlare con me.
— Per telefono?
— Se lo preferisce.
— Lo preferisco. A meno che non voglia venire lei a Grosseto,
perché io non ho nessuna voglia di andare a Roma.
— Ho solo qualche domanda da farle. Ha saputo
dell'incidente automobilistico occorso al Davoli?
— In diretta. Stava parlando con me quando il fatto
è accaduto. Mi aveva chiamato lui.
— Posso sapere che voleva?
— Siccome gli avevo mandato un messaggio dicendogli
che desideravo presto un nuovo incontro...
— Ho capito. E poi non si è più preoccupata di sapere come stava?

— Ho un cugino che lavora proprio in quell'ospedale.
Non l'ho chiamato più perché sapevo che quella sua
orrenda moglie stava incollata al suo capezzale...
— E poi non ha avuto modo di mettersi in contatto con lui?
— Non era più il caso.
— Perché?
— Ispettore caro, sa come si usa dire?
Lontano dagli occhi, lontano dal cuore.
— Ho capito.
— Che altro desidera?
— Ha saputo che l'hanno arrestato?
— Me l'hanno detto. Direi che me l'aspettavo.
— Perché?
— Perché Giulio si vantava pubblicamente di certe sue...
evasioni matrimoniali e fiscali, di certo il suo disprezzo
per le regole, le leggi... non era per niente riservato. E poi...
— Dica.
— Con una moglie come quella, possessiva, gelosa,
prima o poi...
— Le vorrei chiedere ancora una cosa.
— Guardi che tra dieci minuti devo uscire.
— Mi bastano. Dopo l'incidente del Davoli,
lei ha ricevuto minacce?
— Sì. Una.
— Come?
— Telefonica.
— Quando?
— Non ricordo. Un pomeriggio, verso le sei.
— Mi dica tutto.
— Ho risposto al telefono e una voce femminile, pareva
raffreddata ma certamente era camuffata, ha domandato

91

se ero Gianna Livolsi. Ho risposto di sì e quella ha
detto che me l'avrebbe fatta pagare cara. Io le ho chiesto
che cosa dovevo pagare caro, ma ha riattaccato. Secondo
me era quella grandissima stronza di Giuditta Davoli.
— *Ha capito se la telefonata veniva da un telefono fisso*
o da un cellulare?
— *No.*
— *Ha fatto denunzia?*
— *Vuole scherzare?*

[...]

— *Signora Marsili?*
— *Chi parla?*
— *Sono ancora io, Bongioanni. Le ho telefonato*
prima, si ricorda?
— *Oddio, che altro c'è? Mio marito sta rincasando!*
— *Una sola domanda.*
— *Si sbrighi, per carità!*
— *Ha mai ricevuto minacce?*
— *Non ho capito.*
— *Le sto chiedendo se qualcuno le ha telefonato*
o scritto minacciandola di ritorsioni.
— *Ma per cosa? Si spieghi in fretta, per amor di Dio!*
— *Per la sua relazione con Giulio Davoli.*
— *Non ho ricevuto nessuna minaccia.*
— *Signora, non è che mi nasconde qualcosa?*
— *Perché dovrei nasconderle qualcosa?*
— *Però è strano!*
— *Senta, non ne possiamo parlare domattina?*
Mio marito sta aprendo la porta!
— *Va bene.*

coming home
retaliation

hurry up

for heaven's sake

«Ciao, Ester.»

«Ciao, Stefano.»

«Dio, come sei pallida!»

«Non mi sono sentita bene. Poco fa ho avuto come
un mancamento.»

«Vuoi che chiami un dottore?»

«Ma no, mi passerà.»

«Se non te la senti più di andare a Milano, dimme-
lo, non c'è problema.»

«No, ci vado, ho tanto bisogno di cambiare aria.»

«Anch'io sono convinto che ti farà bene. Domani
uscirò un po' prima dall'ufficio, vengo qua, ti prendo
e ti accompagno a Fiumicino. L'aereo parte alle nove
meno un quarto. Basterà essere lì per le otto.»

«Ma posso benissimo prendere un taxi!»

«No, desidero accompagnarti io.»

«Come vuoi. Senti, abbiamo ancora del Tavor in casa?»

«Credo d'averlo finito io. Temi di non dormire stanotte?»

«Se mi capitasse un po' d'insonnia, averlo sottoma-
no sarebbe utile.»

«Te lo vado a comprare subito. In farmacia mi conoscono, me lo danno senza ricetta. Che abbiamo per
cena?»

93

otto

(annotazioni manoscritte)

«Grazie di essere venuta, signora Marsili.»

«Speriamo che non entri qualche amico di mio marito...»

«Suo marito è geloso?»

«Non in modo... lo è quanto basta... io sono terrorizzata all'idea che lui possa venire a sapere...»

«Signora, noi faremo tutto il possibile... Ma lei capisce che quando inizieranno le pratiche del divorzio, difficilmente si potrà evitare che... La signora Davoli basa la sua richiesta essenzialmente sull'infedeltà del marito...»

«Mi sento male.»

«Non mi svenga qui davanti a tutti, per carità!»

«Non abbia timore, riesco a controllarmi. Mi dica, ispettore.»

«Davoli le parlava di sua moglie?»

«Come no!»

«Che le diceva?»

«Che era una donna impossibile, morbosamente gelosa, avida... Ho avuto l'impressione che la temesse.»

«In che senso?»

94

«Spesso Giulio diceva che Giuditta era una donna capace d'ammazzarlo.»

«Lo diceva per dire?»

«No. Ne era convinto. E infatti...»

«Infatti cosa?»

«Be', se non l'ha ammazzato, l'ha rovinato.»

«Dato che da tempo sapeva della vostra relazione...»

«Lo sapeva?!»

«Certo che sì! Vi aveva messo appresso un investigatore privato!»

«Allora è stata lei!»

«A fare cosa?»

«L'investigatore. Ho pensato fosse stato mio marito.»

«Si sbagliava.»

«Ma se lo sapeva da tempo perché ci ha messo tanto a vendicarsi?»

«Non so se glielo devo dire.»

«Mi dica tutto quello che deve dirmi.»

«Mi promette di controllarsi?»

«Glielo prometto.»

«La signora ha scoperto che suo marito, mentre aveva una relazione con lei, intratteneva rapporti con un'altra donna. È stata la goccia che ha fatto traboccare il vaso.»

«Ne è sicuro?»

«Sicurissimo.»

«Lurido schifoso!»

«Non alzi la voce, la prego.»

«Fottuto rottinculo!»

«Signora!»

«Che merda d'uomo!»

«Signora, la stanno guardando.»

«Me ne fotto! Canaglia! Figlio di una lurida troia!»

«Andiamo via. Continueremo a parlare nella mia macchina.»

«E io, lo sa?, che non ci dormivo la notte quando stava in ospedale, per la preoccupazione! E io che in questi giorni non mi reggo più in piedi a saperlo in carcere! Farabutto! Infame! Ma per me ora in galera ci può fare i vermi! Ci può crepare! 'Sto stronzo! Dio, quanto sono cretina! Ma che ho fatto di male nella mia vita per... meritarmi... a uno... uno... uno... così... così...»

«Vuole il mio fazzoletto?»

«Grazie. Mi lasci piangere un po'.»

«Quindi, quello che volevo chiederle è questo. È sicura di non essere mai stata minacciata dalla signora?»

«Se l'avesse fatto, glielo direi.»

«Non lo trova strano?»

«Forse ce l'ha solo con suo marito.»

«Ennò. Perché vede, all'altra donna una telefonata anonima di minaccia pare che gliel'abbia fatta.»

«Non mi parli dell'altra! 'Sto maledetto! 'Sto schifoso! In carcere ci deve crepare!»

I don't care, que a slut   bastard
I can't stand up   Scumbag, son of a bitch
traitor   drop dead   cursed (one)

— Pronto, Maria?

— Senti, ho parlato con l'avvocato, come volevi tu.
Lui sa in quale carcere si trova Giulio, ma...

— Non mi parlare mai più di Giulio!

— Che ti prende?

— Mi prende che questo grandissimo schifoso
mentre stava con me scopava alla grande con un'altra! 7

— Come l'hai saputo?

— Me l'ha detto un ispettore della polizia.

— Un ispettore? Che voleva da te?

— Voleva sapere se Giuditta mi ha mai minacciato.
Dato che, a quanto pare, l'ha fatto con l'altra.

— E basta?

— E basta.

— E tu che gli hai detto?

— Che non mi ha mai minacciato.

— Io non ne sarei tanto sicura, ora che mi ci hai fatto pensare.

— Ma se non ho mai ricevuto una telefonata o una lettera che...

— Non mi riferivo a questo, ma al racconto che mi hai fatto
quando sono scesa a Roma.

— Non mi ricordo.

— Non mi hai detto che una sera, uscendo dall'appartamento di Borgo Pio, hai rischiato di romperti l'osso
del collo perché i gradini erano cosparsi di sapone...

— Ma io ho pensato a una disattenzione della portinaia...

— Già. Ma adesso, alla luce di quello che ti ha detto
l'ispettore... Io gli telefonerei subito, senza perdere tempo,
dicendogli che quest'episodio ti è tornato in mente solo ora.

— Appena finisco con te, lo chiamo.

— Allora che fai? Vieni?

— Certo che vengo. Alle dieci di stasera ci vedremo alla Malpensa.

«Dottore, mi scusi se la disturbo.»

«Dimmi, Bongioanni.»

«È sempre per la faccenda della signora Davoli.»

«Lo sai che sei un po' fissato, guaglio'?»

«Dottore, a parte il casino che ha combinato al marito, a parte la telefonata di minaccia fatta alla Livolsi...»

«Non può provare che è stata lei.»

«Va bene, non lo posso provare, ma volevo informarla che poco fa mi ha telefonato la signora Marsili. Si è ricordata di una cosa.»

«Cioè?»

«Che una sera, uscendo per prima dall'appartamento dove si era incontrata col Davoli, ha rischiato di rompersi l'osso del collo scivolando sui gradini insaponati.»

«Be'? Si vede che la donna delle pulizie non... Queste sono tutte extracomunitarie, va' a sapere come se le lavano le case ai paesi loro!»

«Guardi che erano le sette e mezzo di sera. Non è orario.»

«Ma poteva scivolare il Davoli!»

«Le ho detto che, per consuetudine, usciva sempre per prima la Marsili. E l'investigatore assunto dalla Davoli glielo avrà riferito.»

«Vabbè, in conclusione che vuoi?»

«Dottore, quella non è ancora soddisfatta del danno che ha fatto. Secondo me ora cercherà di vendicarsi sulla Marsili.»

«Me lo dici che vuoi?»

«Se fosse possibile mettere uno a sorvegliare la Davoli...»

uscito

, siciliano

«Ma tu sei nisciúto pazzo! Con la scarsità di personale che abbiamo! Fallo tu, se vuoi, ma fuori servizio!»

«Guardi, dottore, la Marsili tra qualche ora parte per
Milano e torna martedì. Quindi, ora come ora, non corre nessun pericolo. Ne possiamo riparlare martedì?»

«E riparliamone martedì.»

Bongiocà. uses formal
Other uses fam... Superior?

99

«... e quindi le parti convenute concordano nel... Antonia, mi scusi, ha visto i miei occhiali?»

«No, avvocato.»

«Vuoi vedere che li ho lasciati a casa? Antonia, per favore, vuole telefonare a mia moglie e chiederle se mi sono dimenticato di prenderli?»

«Subito, avvocato.»

[...]

— Signora Marsili?

— Sì?

— Sono Antonia.

— Mi dica.

— Vuole vedere se l'avvocato ha dimenticato lì gli occhiali?

— Sì. Li ha lasciati in bagno.

— Va bene, grazie signora.

[...]

«Avvocato, la signora ha detto che li ha lasciati a casa. Vuole che glieli vada a prendere? Faccio una scappata e in un'ora vado e torno.»

«Che ore sono?»

«Quasi le sei.»

«No, la ringrazio. Tanto più che tra poco devo uscire per accompagnare Ester a Fiumicino. Non ne vale la pena. Dove eravamo rimasti?»

«... e quindi le parti convenute concordano nel...»

— *Clinica Santa Rita. Dica.*
— *Sono l'avvocato Stefano Marsili.*
Vorrei sapere se in queste ore è stata ricoverata
presso di voi la signora Ester Gigante, mia moglie.
— *Un momento, prego. No, qui da noi, no.*

[...]

— *Pronto? Ospedale San Martino?*
— *Sì.*
— *È stata ricoverata da voi nelle ultime ore la signora*
Ester Gigante? Sono il marito, Stefano Marsili.
— *Un attimo che controllo. Non mi risulta.*
— *Grazie.*

[...]

— *Pronto? American Hospital? Sono l'avvocato Marsili.*
Vorrei sapere se in serata è stata ricoverata
presso di voi la signora Ester Gigante, mia moglie.
— *Come ha detto di cognome?*
— *Gigante.*
— *Qui c'è una certa Giganti.*
— *Potrebbe trattarsi di un errore di trascrizione.*
Come fa di nome?
— *Eilen.*
— *Quanti anni ha?*
— *Settanta.*
— *No, non è lei, mi scusi.*

admittid   [...]   doesn't seer

101

— *Pronto? L'ispettore capo Bongioanni?*

— *Sì. Chi parla?*

— *Sono l'avvocato Stefano Marsili.*

— *Ah. Mi dica.*

— *Ho trovato nel portafogli di mia moglie Ester*
il suo biglietto da visita.

— *Si, gliel'ho dato perché...*

— *È per caso da voi?*

— *Chi?*

— *Ester.*

— *No. Perché secondo lei dovrebbe trovarsi*
qua in questura?

— *Non so, ho fatto un tentativo.*

— *Si spieghi meglio.*

— *Ester è scomparsa. Ho telefonato a tutti gli ospedali,*
le cliniche... niente. Sto impazzendo.

— *Lei è a casa?*

— *Sì.*

— *Non si muova. La raggiungo subito.*

«Mi racconti tutto con calma, avvocato.»

«Eravamo rimasti d'accordo che sarei passato verso le sette a prenderla per accompagnarla a Fiumicino. Sono arrivato alle sette e un quarto e non c'era. Allora ho pensato che fosse uscita per comprare qualcosa che le occorreva e che sarebbe tornata presto. Poi mi sono accorto che sul tavolo c'erano il suo portafogli, il cellulare e il biglietto dell'aereo. La sua valigia, già pronta, era nell'ingresso. Dopo una mezz'ora, non vedendola ancora rientrare, mi sono impensierito.»

«Che ha fatto?»

«Sono sceso giù, ho preso la macchina e ho fatto dei giri nei paraggi... Intanto ho cominciato a telefonare ai nostri amici... Nessuno l'ha vista. Allora sono tornato qua, ho preso l'elenco telefonico e ho iniziato a chiamare tutti gli ospedali di Roma... Poi m'è venuto in mente di guardare nel portafogli e ho visto il suo biglietto da visita...»

«Quand'è stata l'ultima volta che l'ha vista?»

«Abbiamo pranzato insieme, sono uscito da casa alle tre e mezzo.»

«E da allora...»

«No, aspetti. Alle sei ha parlato con la mia segretaria.»

«È stata la signora a chiamare?»

«No, le ho fatto telefonare io per sapere se avevo dimenticato a casa gli occhiali.»

«Dunque la signora è sparita tra le sei e le sette e un quarto.»

«Così pare.»

«Lei ha un'idea su cosa possa essere accaduto?»

«Sicuramente le ha citofonato qualcuno che lei conosce. Ed Ester è scesa. Era in pantofole, le sue scarpe sono accanto al letto. Quindi si trattava di una faccenda di pochi secondi.»

«E magari questa persona l'avrà fatta salire in macchina per parlare più comodamente.»

«Può essere andata così.»

«Lei è ricco, avvocato?»

«Non al punto da poter pagare un riscatto, se lei sta pensando a un rapimento.»

«Lei ritiene di escludere che si sia allontanata di sua volontà?»

«Categoricamente.»

«Senta, avvocato, non si deve offendere se...»

«Escludo anche questo.»

«Ma se non mi ha lasciato finire la domanda!»

«Ho capito dove voleva andare a parare. No, Ester non ha un amante. Mia moglie non è il tipo. Ci metto la mano sul fuoco.»

«Va bene, lasciamo perdere.»

«Avrei invece un'ipotesi.»

«E sarebbe?»

«La tragica morte del marito della sua amica del cuore, avvenuta pochi giorni fa, l'ha sconvolta. Da allora è stato evidente che Ester non stava bene. Era pallida, sciupata, aveva scarso appetito, soffriva d'insonnia. Insomma, era molto giù. Per questo le avevo consigliato di svagarsi, di andare a trovare la sua amica a Milano. Anzi! Accidenti mi sono dimenticato di avvertire Maria che l'aspetta alla Malpensa!»

«E quindi? Vada avanti...»

«Non escluderei un vuoto momentaneo. Un'amnesia. Succede.»

104

«Già.»

«Può darsi che sia scesa per un motivo qualsiasi e poi non sia stata più in grado di tornare a casa.»

«Ma lei mi ha appena detto che ha fatto diversi giri qui intorno...»

«Sì, è vero, ma può darsi che abbia preso un autobus, o abbia chiesto un passaggio, va' a sapere. Il problema è che ha lasciato il portafogli con i documenti di riconoscimento qua a casa. Se non ricorda più come si chiama...»

«Allora cosa pensa di fare?»

«Stare qui ad aspettare una telefonata.»

«Va bene. Spero che torni a casa. Altrimenti domattina venga in questura, con una foto della signora, per fare la denunzia di scomparsa in modo che anche noi ci si possa attivare.»

«Lo farò.»

who knows   we can mobilize

— *Pronto? Vigili del fuoco?*
— *Sì. Chi parla?*
— *Mi chiamo Adelmo Trentin, porto un Tir,*
  vengo da Genova e vado a Roma.
— *Mi dica.*
— *Ho notato, passando, un'auto in fondo a una scarpata.*
  Mi sono fermato, sono sceso a vedere. È un Suv.
  Dentro c'è il corpo di una donna, al posto di guida.
— *Ma è morta?*
— *Direi proprio di sì.*
— *E perché sta chiamando noi?*
— *Perché voi siete i primi che mi sono venuti in mente.*
— *Va bene, provvederemo noi a informare*
  chi di dovere. Dove si trova lei?
— *Sulla via Aurelia, al chilometro 123.*
— *Rimanga lì e aspetti che...*
— *Aspetto un cazzo! Ho già perso troppo tempo!*

report

Il Messaggero

Mortale e misterioso incidente automobilistico

Ieri sera un Suv targato BS4389YZ è stato notato in fondo a una scarpata al chilometro 123 della Aurelia dall'autista di un Tir che ne dava pronta segnalazione. Dai rottami del mezzo è stato estratto il corpo senza vita di una sconosciuta che era seduta al posto di guida. Successivamente l'avvocato Stefano Marsili, abitante a Roma, che la sera avanti aveva già segnalato la scomparsa della moglie, identificava il cadavere all'obitorio. Purtroppo si trattava proprio della sua coniuge, Ester Gigante, nativa di Viterbo, di anni 28. L'avvocato Marsili, assai provato per l'accaduto, ci ha detto che la signora avrebbe dovuto prendere la sera stessa il volo delle 20.45 per Milano. Ci ha dichiarato inoltre che né lui né la moglie hanno mai posseduto un'auto di quel tipo e che non sa assolutamente spiegarsi cosa ci facesse la signora su quella macchina e perché si trovasse sulla via Aurelia. Ricordiamo ai nostri lettori che nella notte tra il 7 e l'8 gennaio nello stesso punto c'era stato un grave incidente d'auto che aveva coinvolto il noto imprenditore edile Giulio Davoli. Il caso presenta molti lati oscuri che di certo porteranno a clamorosi sviluppi. Dei quali non mancheremo di dare notizia ai nostri lettori.

wreckage of the vehicle exhausted?

event

con york-jé

morgue

«Buongiorno, dottore.»

«Bongioanni, facciamo subito un patto. Bello e chiaro. Prima parlo io e poi parli tu. D'accordo?»

«D'accordo, dottore.»

«Dunque, la sezione "Furti d'auto" ci ha comunicato che il Suv era quello del Davoli e del quale la moglie aveva denunziato il furto avvenuto il giorno dopo il ricovero all'ospedale del Davoli stesso. Fino a qua ci sei?»

«Ci sono.»

«Poco fa la Scientifica mi ha fatto sapere che questo Suv potrebbe essere lo stesso che ha speronato la Panda di Davoli. Ci sono le macchie di vernice, che a un primo esame risultano essere compatibili. Me lo spieghi com'è che non te ne meravigli, Bongioà?»

«Lo prevedevo, dottore.»

«Ma quanto sei bravo!»

«Modestamente.»

«E lo sai dov'è stato ritrovato il Suv?»

«Al chilometro 123 della via Aurelia.»

«Che bella memoria che tieni, Bongioà! Lo sai che te la invidio? E ti ricordi magari che ci sta due chilometri appresso?»

«Un cantiere di Davoli. Quello che l'Ispettorato ha fatto chiudere su denunzia della moglie.»

«Bravissimo! E provati ancora a fare mente locale: dove capitò che Davoli venne speronato?»

«Sempre al chilometro 123.»

«E io mi domando: che c'è, il miele, a 'sto chilometro 123? E, domanda domanda, mi sono dato qualche risposta, nel mio piccolo s'intende. Ci tieni a sapere com'è andata la faccenda?»

108

«Certamente.»

«Non vuoi pigliare nota?»

«Lei stesso ha detto ora ora che ho una bella memoria.»

«Per caso, ti è sovvenuto che Ester Marsili, la povera guagliona, era l'amante di Davoli?»

«L'ho tenuto sempre presente, dottore.»

«Ma non fino al punto di fare due più due.»

«Non ho capito.»

«Mi sorprendi, Bongioà! Con la vasta intelligenza che tieni! E io te lo spiego. Dunque. La Marsili viene a sapere, non so come, questo lo vedremo in seguito, che il Davoli tiene un'altra donna a Grosseto. Una tale Gianna Livolsi. Esasperata dalla gelosia, perché del Davoli è innamorata per davvero, un pomeriggio che l'amante le dice che dovrà andare a Grosseto decide di vendicarsi. Sa, perché glielo avrà detto il Davoli, che prenderà la Panda della moglie e lascerà il Suv posteggiato vicino casa. Allora concepisce un piano ingegnoso. Mi segui?»

«Passo passo.»

«Ruba il Suv e... perché alzi il dito? Devi andare in bagno?»

«No, dottore, volevo solo farle osservare che non è facile, per una signora, rubare un'automobile.»

«E se ci ha una copia delle chiavi?»

«Avrebbe fatto fare una copia?»

«Macché! Ma tu lo sai quante volte lei ci sarà stata su quel Suv? Magari ci andavano a scopare, qualche volta. E capace che le chiavi gliele avrà date il Davoli stesso. E poi non avevamo fatto il patto che parlavo io? Che cazzo interrompi?»

«Mi scusi, dottore.»

«Dov'ero rimasto? Ah, ruba il Suv, imbocca l'Aurelia e s'apposta nelle vicinanze del cantiere. Davoli qualche volta ce l'avrà portata di sicuro. E lei avrà notato la scarpata. A farla breve, aspetta che la Panda passi di ritorno e la sperona. Quindi, per farsi un alibi, comincia a mandare messaggi disperati al Davoli, fingendo di non sapere quello che gli è successo. Arriva a telefonare alla moglie di lui! Ma, per come la penso io, non si tratta solo di un alibi.»

«E cioè?»

«Che ne sai tu dell'amore, Bongioà?»

«Quello che ne sanno tutti.»

«Vale a dire niente. Subito dopo aver provocato l'incidente che poteva essere mortale, la nostra Ester si pente, capisce d'amare Davoli più di prima. E il suo rimorso s'aggrava quando la signora Davoli si scatena contro il marito. Prende su di sé la colpa di tutto quello che gli sta accadendo. Il marito, l'avvocato, ti ha detto che non dormiva più, non mangiava più. E il rimorso ha continuato a rodersela viva fino a quando non ce l'ha più fatta. Ha tirato fuori il Suv che teneva nascosto da qualche parte ed è andata ad ammazzarsi.»

«Posso, dottore? Quando ho incontrato la Marsili da Rosati, non m'è parsa così pentita come suppone lei. Se sapesse quello che ha detto del Davoli!»

«E quella fingeva, Bongioà! Non era così scema da venirti a dire che sapeva della tresca con la grossetana!»

«Ma perché prendere il Suv, arrivare fino al chilometro 123 e...»

«Ma quello è un messaggio, Bongioà!»

«A chi?»

«Come a chi? A me, per esempio! A te no, invece. Non ti è arrivato: o, se ti è arrivato, non l'hai saputo leggere.»

«E che dice il messaggio?»

«Dice: "Qui ho commesso il mio peccato e qui lo pago"! È come se ci avesse messo la firma! Come fai a non capirlo? Bongioà, quando fai quella faccia io ti prenderei a schiaffi!»

«Mi scusi, dottore, non so che farci, mi viene.»

«Avanti, parla.»

«Ma perché andare a prendere il Suv di Davoli per speronarlo? Poteva usare la sua, che è una macchina grossa, mi sono informato. L'usava, la nascondeva e ne denunziava il furto.»

«Bongioà, ma tu ci sei o ci fai? Se poi quella macchina, metti caso, veniva ritrovata, inevitabilmente sarebbe saltata fuori la sua relazione col Davoli. Se invece ritrovavano il Suv, nessuno avrebbe potuto pensare a lei. Te l'ho detto che il piano era geniale! Caso mai avremmo sospettato della moglie del Davoli. E in questo caso la nostra Ester si sarebbe pigliata la rivincita, non mi hai detto tu stesso che la Davoli avrebbe tentato di farle rompere l'osso del collo? Che succede? Ti sei ammutolito?»

«Che devo fare?»

«Solo questo mi sai dire? Non mi dai soddisfazione, Bongioà. Va', vai a cercarmi le prove. E alla svelta.»

[handwritten annotations:] would / could slap you · I don't know what to make of · are you stupid or what? · if anything · the rematch would have happened · dumbfounded · quickly

«Avvocato, capisco che la mia presenza in un momento così per lei doloroso come questo...»

«Lei non fa altro che il suo dovere, ispettore. Ma mi creda, sono intontito e confuso, è stata una vera mazzata!»

«La capisco benissimo.»

«Avete scoperto qualcosa?»

«Sì. Ma...»

«Ma?»

«Quello che dovrò dirle non sarà piacevole. Mi raccomando, sia forte, avvocato.»

«Ormai non m'importa più di niente. Mi dica.»

«Abbiamo purtroppo scoperto che sua moglie da tempo aveva una relazione con un tale Giulio Davoli, un grosso impresario edile, lo conosce?»

«No.»

«Non si sorprende? L'altra volta, se si ricorda, mi ha escluso categoricamente che...»

«Lo so. Ma in queste ultime ore, ripensando a Ester, mi si sono disgraziatamente chiarite alcune cose.»

«Cioè?»

«Sa, telefonate che non mi faceva ascoltare, parlava per monosillabi, appuntamenti strani, spiegazioni arrangiate... Non ci davo molto peso, convinto com'ero, allora, che Ester mai e poi mai... mi levi una curiosità. Col suo amante s'incontravano nei pressi di Borgo Pio?»

«Sì.»

«Ecco! Mi pareva d'averla intravista, un giorno! Ma lei negò. E io le credetti.»

«Il Suv nel quale è stata ritrovata la signora apparteneva al Davoli. La cui moglie ne aveva denunziato il furto.»

stunned   hammer blow   unfortunately
gotten straight on   112

«Ma, mi perdoni, se era stato rubato, come mai lo guidava Ester? A meno che lei stessa...»

«È questo il nostro problema. Non riusciamo a spiegarcelo. Voi avete un garage?»

«Sì. Ci stanno le nostre due auto.»

«Non ne avete altri?»

«No.»

«Ha qualche proprietà fuori Roma?»

«Una casa di campagna con un po' di terra che era del papà di Ester. A Viterbo. Ci abita un suo cugino.»

«E basta?»

«Una villetta al mare, a Fregene. Fuori stagione, ci andiamo per qualche fine settimana. Ma nell'ultimo mese non ci siamo mai stati.»

«C'è un garage?»

«Sì. Pensa che... Ester l'abbia tenuto lì?»

«Tutto è possibile.»

«Ma per farne che?»

«È una storia lunga... stiamo ancora mettendone assieme i pezzi... Poi le dirò tutto, quando il quadro sarà chiaro.»

«Speriamo.»

«Le devo chiedere ancora una cosa.»

«Sono qua.»

«La notte tra il 7 e l'8 lei dov'era?»

«Io?! Perché me lo domanda?»

«La pregherei di rispondere.»

«Così, su due piedi non... permette che guardi l'agenda?»

«Faccia con comodo.»

«Ecco. Ero a Napoli.»

what to make of it

«È tornato in serata?»

«No. Sono rientrato a Roma la mattina dopo molto presto.»

«Quindi non ha dormito a casa?»

«Se le ho appena detto che...»

«Ha sentito sua moglie?»

«Quando sono fuori le telefono sempre prima di cena. La chiamo o sul fisso o sul cellulare.»

«Non ricorda se quella sera rispose da fuori?»

«Non lo ricordo.»

«Si sforzi.»

«È importante?»

«In un certo senso sì.»

«Guardi, se non sbaglio mi ha detto che sarebbe andata al cinema. Di solito non va mai sola ma in compagnia di una sua lontana cugina, Valentina De Feo. Se vuole la chiamo e...»

«Mi farebbe veramente un grossissimo piacere. Se può usarmi la cortesia di mettere il viva voce...»*

on the landlord Show me the corretta

✱ speakerphone ✱

— *Pronto, Valentina? Sono Stefano.*
— *Stefano mio! Come stai? Sei solo?*
  Hai bisogno di qualcosa? Vuoi che venga da te?
  Qualsiasi cosa, Stefano, non fare complimenti,
  in un momento come questo...
— *Ti ringrazio, Valentina. So che posso contare su di te.*
  Avrei bisogno di sapere una cosa che mi domanda
  la polizia, non so perché.
— *Dimmi.*
— *La sera del 7, che io ero a Napoli,*
  tu ed Ester siete andate per caso al cinema?
— *Il 7, dici?*
— *Sì.*
— *Ah, guarda, il 7 posso escluderlo. Ora mi ricordo*
  benissimo. Ero stata invitata dai Galluppi
  per la laurea del figlio, volevo portare con me
  Ester ma lei si è rifiutata.
— *Ti ha detto perché non è voluta venire?*
— *Aveva mal di testa. Ma secondo me era una scusa,*
  i Galluppi non le erano simpatici.
— *Ti ringrazio.*
— *Stasera passo a trovarti. Ti porto la cena. Ciao.*

[...]

«Ha sentito?»

«Sì, avvocato.»

«Ha altre domande? Sono un po' stanco.»

«Vado via subito. Però prima vorrei l'indirizzo e le chiavi del villino di Fregene.»

«Vuole perquisirlo?»

115

«Oddio, no! Dargli un'occhiata.»
«Vado a prendergliele.»
«Grazie.»

[...]

«Strano, ispettore. Non sono al solito posto. Non le trovo.»

«Mi perdoni, ma le hanno restituito, diciamo così, gli effetti personali della signora?»

«Sì.»

«Dove sono?»

«In quel sacchetto che c'è nell'anticamera. Non ho ancora trovato il coraggio d'aprirlo.»

«Posso farlo io?»

«Se lo ritiene indispensabile...»

[...]

«C'erano questi tre mazzi di chiavi. Questo è del Suv. E gli altri due?»

«Il più grosso è quello di casa.»

«E il più piccolo?»

«È... del villino di Fregene.»

«La signora queste chiavi se le portava sempre dietro?»

«Che io sappia, no. Non riesco a capire perché le avesse con sé.»

«Madonna, Bongioà, è tutto così chiaro e lampante! Quella si è lasciata la serata libera, non è andata dai Lalluppi...»

«Galluppi.»

«Non m'interrompere con 'ste cazzate, Bongioà! Si è lasciata la serata libera per andarsi ad appostare al chilometro 123! E a quel cornuto del marito che gli telefonava da Napoli avrà risposto dal cellulare. Poi, dopo aver fatto il guaio, va a mettere il Suv nel garage del villino di Fregene per ritirarlo fuori quando decide di andarsi ad ammazzare.»

«Guardi che alle due di notte non è facile tornare a Roma da Fregene senza una macchina.»

«Ma dove stai con la testa, Bongioà? A quella non gliene fotteva niente di tornare a Roma nella nottata, tanto il marito se ne stava tranquillo a dormire a Napoli! Ma che vai a sfruculia'? All'alba avrà preso un autobus, un treno, si sarà fatta dare un passaggio...»

«Guardi però che a Fregene ci sono andato con Elena Massi.»

«E chi è? La tua fidanzata? Una che ti scopi?»

«Dottore, la Massi è una collega della Scientifica.»

«E tu metti in mezzo la Scientifica senza nemmeno...»

«È un'amica. È venuta a titolo personale. Una specialista.»

«In che?»

«In tracce di copertoni.»

«Ma non mi dire! Embè?»

«Nel garage della villetta non c'è traccia di gomme da Suv.»

«Davvero? Ma come siete intelligenti tu e la Fassi!»

«Massi.»

«Non rompere. E che è, un carro armato un Suv? Perché avrebbe dovuto lasciare tracce su un pavimento presumibilmente di cemento?»

«Perché la sera del 7 pioveva a strafottere.»

«E con ciò?»

«Avrebbero dovuto esserci tracce di fango. Invece niente.»

«E questo che significa? Al massimo che non l'ha messo in garage. L'avrà lasciato dietro il villino, in una viuzza vicina. Magari a spina di pesce, per non far vedere il muso scassato. Non ti persuade?»

«Sinceramente, no.»

«Non ti riconosco più. Che t'è successo? Dov'è fernuto il mio brillante Bongioanni? Troppe gite a Fregene con la Bassi? Ci siamo bevuti il cervello?»

«Dottore, io non...»

«Lasciati pregare, Bongioà! Tu non sei propriamente lo stesso di quello che eri tre giorni fa!»

«Dottore, vorrei semplicemente farle notare che forse non conviene insistere col pm che la Marsili abbia nascosto il Suv a Fregene, tutto qua.»

«"Tutto qua", mi dice! Ma se tu stesso, riportandomi il colloquio avuto coll'avvocato Marsili, mi hai detto che la Ester ci è andata a Fregene!»

«Io non l'ho mai detto!»

«Direttamente no, indirettamente sì. Mi hai riferito, sì o no, d'aver trovato le chiavi del villino tra gli effetti personali della morta? È così?»

«Sì.»

«O Madonna benedetta! E il marito non ti ha det-

to che abitualmente non, sottolineo il non, se le portava appresso?»

«Sì.»

«E allora perché le aveva con sé nel Suv? Non rispondi? Dài, fammi chiamare il pm così archiviamo il caso.»

«Dottore, le posso chiedere un favore?»

«Parla.»

«Può aspettare tre o quattro giorni prima di telefonare al pm?»

«Facciamo tre e non se ne parla più.»

«E se le domando un altro favore, mi spara?»

«Non t'allargare, Bongioà.»

«Vorrei avere un colloquio con Davoli.»

«Ti vuoi fa' 'na gitarella a Milano? Magari in compagnia della Massi?»

«È stato trasferito a Regina Coeli, dottore.»

Shoot   stretch out   little trip

why does he have to ask permission

23 gennaio 2008

Il Messaggero

Imprevisti sviluppi del caso Marsili

Eravamo stati facili profeti, nel dare notizia del rinvenimento del cadavere della signora Ester Marsili all'interno di un Suv precipitato lungo una scarpata al chilometro 123 della via Aurelia, scrivendo che il caso avrebbe avuto sviluppi imprevedibili. Infatti la polizia ha potuto accertare subito che la macchina non era di proprietà della signora Marsili, ma apparteneva al costruttore edile Giulio Davoli, recentemente tratto in arresto mentre tentava di varcare il confine svizzero essendo stato spiccato contro di lui un mandato di cattura per falso in bilancio, esportazione di capitali all'estero e riciclaggio. In precedenza, il Davoli, all'altezza sempre del chilometro 123, era stato speronato da un'auto restata sconosciuta ed era rimasto in ospedale per le ferite riportate. La polizia, all'epoca, suppose un tentato omicidio contro il Davoli. Ora la polizia ha potuto inequivocabilmente accertare che il Suv dentro il quale è stata rinvenuta cadavere la signora Marsili è lo stesso che ha speronato la Panda sulla quale viaggiava il Davoli.

In ambienti di solito bene informati si avanza l'ipotesi che la Marsili, sentimentalmente legata al Davoli benché ambedue fossero sposati, abbia tentato d'uccidere l'amante che la tradiva con altre donne. Senonché la signora Giuditta Davoli, venuta a

[annotazioni manoscritte:] prophets · Taken · issued (strong, marked) · capture · financial statements · money laundry · into the environment? · BOTH

conoscenza delle infedeltà del marito, durante la sua degenza lo denunziava alla Guardia di Finanza, forniva le prove delle malversazioni del coniuge e ne provocava l'arresto.

Sempre secondo questi ambienti bene informati, la polizia sarebbe arrivata alla conclusione che la Marsili, in preda a cocenti rimorsi, si sia voluta suicidare con la stessa auto con la quale aveva tentato d'ammazzare l'amante infedele. E l'ha fatto lasciandosi precipitare nella stessa scarpata nella quale aveva spinto il Davoli, al chilometro 123 della via Aurelia.

Abbiamo tentato d'intervistare tanto l'avvocato Stefano Marsili, marito della presunta suicida, quanto la signora Giuditta Davoli, moglie dell'impresario edile amante della Marsili, ma tutti e due risultano irraggiungibili.

Hospitalization

Both: Ambedue e Tutti e due

121

«Signor Davoli, sono l'ispettore capo Bongioanni della questura di Roma.»

«Piacere, se così si può dire.»

«Perché?»

«Ora vi ci mettete anche voi? Mia moglie Giuditta è venuta a denunziarmi come pedofilo?»

«No, signor Davoli, niente di tutto questo.»

«Allora che vuole?»

«Sono qui per rivolgerle qualche domanda che non comporta nessuna nuova accusa contro di lei.»

«Meno male!»

«Ha avuto modo di vedere quello che ha scritto "Il Messaggero"?»

«Me l'ha riferito il mio avvocato.»

«Che ne pensa?»

«Sono tutte stronzate. Vi state sbagliando di grosso.»

«Me ne spieghi il motivo.»

«Anche se mi fossi portato a letto un intero corpo di ballo, Ester non avrebbe mai pensato d'ammazzarmi. Quanto ci scommette che anzi mi avrebbe perdonato?»

«Quindi lei esclude che la sera del 7 alla guida del Suv che l'ha speronato ci fosse la Marsili?»

«L'escludo.»

«E chi c'era, secondo lei?»

«Guardi, l'ho già detto all'avvocato che m'assisteva a Milano: alla guida sicuramente c'era Giuditta.»

«Allora, mi pare di capire che lei non crede all'ipotesi del suicidio della signora Marsili?»

«Ma quando mai! È stato un omicidio bello e buono!»

«E chi ne sarebbe l'autore?»

«Elementare, Watson, come diceva Sherlock Holmes: la mia cara mogliettina.»

«Quindi il suo Suv non sarebbe mai stato rubato.»

«Quella è stata una bella mossa di mia moglie. Giuditta, dopo avermi investito, è tornata a Roma e l'ha semplicemente messo nel nostro garage. Poi ne ha denunziato il furto. Ci avete guardato nel garage?»

«Non ne avevamo motivo.»

«E proprio su questo contava lei! Quella è il diavolo!»

«Ma perché la signora Giuditta avrebbe ucciso la Marsili?»

«Perché era la mia amante, Cristo!»

«Però non ha ammazzato la Livolsi.»

«Datele tempo e farà fuori anche Gianna.»

«Signor Davoli, premesso che questo "Il Messaggero" non l'ha scritto, glielo rivelo io ora: qualcuno di noi, in questura, sostiene che la Marsili, dopo averla investita, avrebbe nascosto il Suv in un villino di sua proprietà a Fregene.»

«Ma non è stata Ester a...»

«Me l'ha già detto. Ma le mie domande sono altre. La signora Marsili aveva le chiavi del suo Suv?»

«E perché avrebbe dovuto averle?»

«Ne è sicuro?»

«Penso di sì.»

«E no! Lei mi deve dare una risposta precisa.»

«Non sono in condizioni di dargliela.»

«Me ne dica il perché.»

«Siccome qualche volta gliel'ho prestato, non posso assolutamente escludere che...»

«Ho capito. Può non avergliele ridate indietro. Un'ultima domanda. Lei conosceva l'esistenza del villino di Fregene?»

«Certo!»

«Gliene aveva parlato la Marsili?»

«Altro che parlato! Ci sono andato con Ester almeno per un mese! Ne avevo persino le chiavi!»

«Ma non v'incontravate a Borgo Pio?»

«Vedo che è bene informato. Allora quell'appartamento era affittato a uno che poi l'ha lasciato. E perciò, quando quello ha traslocato, me lo sono preso io. Andare a Fregene era scomodo.»

«E le chiavi del villino le ha restituite?»

«No. Ester m'ha detto di tenermele per ogni evenienza. Ci si poteva fare qualche scappatella in una buona giornata. Le tenevo in un cassetto della scrivania del mio studio, a casa.»

«Quel cassetto che sua moglie ha scassinato?»

«Esattamente.»

«Bene, io non...»

«Mi levi una curiosità. Perché le chiavi del villino sono per voi così importanti?»

«Prima di risponderle le faccio io una domanda: che lei sappia, queste chiavi, la signora Marsili le portava sempre con sé?»

«No. Le prendeva solo se ci occorrevano. Quando ci andavamo spesso, lei mi diceva di ricordarle di rimettere le chiavi al loro posto appena fosse tornata a casa.»

«Perché tanta attenzione?»

«Mi ha spiegato che le chiavi stavano appese con altri mazzi accanto alla loro porta d'ingresso. Se mancavano, suo marito avrebbe potuto accorgersene.»

«Ho capito.»

«E ora mi dica lei perché quelle chiavi la interessano.»

«Perché la signora Marsili le aveva con sé nel Suv.»

«E cosa se ne... Un momento! Quelle chiavi sono sicuramente le mie! Giuditta le ha prese dal cassetto e gliele ha messe addosso quando l'ha ammazzata!»

«Grazie d'avermi ricevuto, signora Davoli.»

«E che potevo fare?»

«Sono qui per rivolgerle qualche domanda.»

«Certo non è venuto per sapere come sto in salute!»

«Come sta?»

«Non faccia lo spiritoso. Che domande mi vuole fare?»

«Ha letto quello che ha scritto "Il Messaggero"?»

«Sì.»

«Che ne pensa?»

«Che ancora ci sono giornalisti seri.»

«Ecco, signora, io sono qua per cercare di trovare elementi che possano corroborare l'ipotesi della Marsili suicida per il rimorso d'aver tentato d'ammazzare il suo amante, cioè il di lei marito. Devo premettere una cosa: io sono fermamente convinto di questa ipotesi e sto facendo il possibile perché diventi realtà.»

«Finalmente nella polizia c'è chi ragiona come si deve! Bravo!»

«Grazie.»

«Sono più che convinta che le cose siano andate come è scritto in quell'articolo!»

«Bene, mi fa piacere! Sa, signora? Si suppone che la Marsili tenesse nascosto il Suv di suo marito in una sua villetta di Fregene. Questo nel giornale non era detto, ma...»

«Io però l'ho sospettato!»

«Mi scusi, ma lei l'ha solo sospettato o addirittura conosceva l'esistenza della villetta?»

«Come no! La conoscevo. Me l'aveva detto l'investigatore che ci andavano a fare le loro schifezze!»

«Non le è mai venuta la tentazione di andarla a vedere?»

«La villetta? Sì, una volta. Da fuori.»

«Mi levi una curiosità del tutto personale. È mai andata a Borgo Pio dove suo marito aveva...»

«Sì. Anche lì una sola volta.»

«Suo marito m'ha detto che della villetta aveva le chiavi e che le teneva a casa, in un cassetto della sua scrivania.»

«Può darsi.»

«Lei non sa dove possono essere andate a finire?»

«Di chiavi ne aveva parecchie. Era molto ordinato, sa? Ogni mazzo col suo bravo cartellino, per non fare confusione. Per non fare equivoci tra una troia e l'altra.»

«Devo presumere che tutte queste chiavi si trovino ancora nel suo appartamento?»

«Le ho tutte buttate in un cassonetto.»

«Lei, da quando è andata via, non è più tornata a casa sua?»

«Non ci ho più messo piede. E non intendo rimettercelo.»

«Be', ora che suo marito è in carcere, non ha nulla da temere.»

«Lei dice?»

neat, organized   slut

set foot in it

«La signora Adelina Ravazzi?»

«Sono io.»

«Lei è la proprietaria della pensione famigliare Aurora sita in via Asmara?»

«Sì. E lei chi è?»

«Sono l'ispettore capo Bongioanni della questura di Roma. Ecco il tesserino.»

«E che vuole?»

«Signora, ci è giunta una denunzia anonima secondo la quale le condizioni igienico-sanitarie della sua pensione non risultano a norma. Dobbiamo fare un'accurata ispezione.»

«Ora?»

«Ora.»

«O Gesù! Ma sto facendo la spesa!»

«Lasci perdere tutto e mi segua!»

«Senta, ispettore, io con quella pensione ci campo! Se me la chiudete io posso andare a domandare l'elemosina. Per carità!»

«Signora, mi dispiace, ma non...»

«Ispettore, la supplico. Vede? Mi sta facendo piangere!»

«Be', a ben considerare, forse un accomodamento si potrebbe trovare...»

«Magari! Guardi però che io non ho tanti soldi da parte.»

«Non voglio soldi, ma solo un'informazione.»

«Tutto quello che vuole sapere!»

«La signora Giuditta Davoli è da lei?»

«Sì. È una brava persona, un po' pretenziosa ma...»

«Esce la sera?»

«Qualche volta. Va al cinema.»

«Rincasa sempre alla stessa ora?»

«Sempre. Solo l'altra notte è tornata che erano le quattro del mattino. Io stavo in pensiero...»

«Cerchi di ricordarsi esattamente quando è stato.»

would

Commissariato di Roma
Corso Trieste 154

Prot n   NON PROTOCOLLATO
Oggetto PRESUNTO SUICIDIO MARSILI

RISERVATA PERSONALE

Al Dottor
Costantino Lopez
Primo Dirigente

Questo, come si evince dalla mancanza del
numero di protocollo, non è un rapporto ufficiale, ma una relazione a lei riservata.
Mi sono convinto che l'aver fatto precipitare il Suv di proprietà di Giulio Davoli al
chilometro 123 della via Aurelia, nello stesso esatto punto dove il Davoli in precedenza era stato speronato, sia, come lei mi ha
illuminato, egregio Dottore, un vero e proprio messaggio.
Solo che a inviarlo, secondo la mia mode-
sta lettura, non è stata la Marsili ma un'altra persona.

registerd   *it follows*   *dear*   *submit it*

Ho interrogato in carcere il Davoli e successivamente, nella pensione in cui risiede, la signora Davoli.

Dall'interrogatorio del Davoli è emerso che

1) probabilmente la Marsili era in possesso delle chiavi del Suv (il che rafforzerebbe la sua tesi, egregio Dottore).

2) il Davoli conosceva benissimo l'esistenza della villetta di Fregene perché per un mese di seguito ci si era recato con la Marsili. E ne possedeva copia delle chiavi che teneva in un cassetto della scrivania a casa sua.

3) il Davoli è fermamente convinto che ad assassinare la Marsili sia stata sua moglie Giuditta.

Dal colloquio avuto con la signora Davoli è emerso che:

1) anche la signora era a conoscenza della villetta di Fregene.

2) presume che le chiavi della villetta si trovassero nel cassetto della scrivania del marito insieme ad altre, ma dice d'averle gettate tutte in un cassonetto.

Mi sono successivamente recato a colloquio col dottor Ernesto Gionfrida, che ha eseguito l'autopsia sul cadavere della Marsili.

La Marsili è rimasta uccisa per una ferita alla fronte dovuta a un violento urto.

La Scientifica, da me interpellata, ha trovato sì sul volante leggere tracce di sangue appartenenti alla Marsili, ma ha tenuto a sottolineare una stranezza. E cioè che un urto così violento non abbia in nessun modo deformato il volante stesso.

Infine, e la prego di considerare con la bontà d'animo che su tutti la contraddistingue quanto sto per dirle, passando per caso davanti all'abitazione dei Davoli in compagnia della collega Elena Massi, e vedendo, sempre per caso, che la saracinesca del garage dei Davoli era stata forzata, ci siamo per pura curiosità entrati dentro.

Per caso la Massi ha notato tracce di fango lasciate dai copertoni di un Suv.

Tutto ciò premesso, le espongo la mia lettura. Partendo dalla conclusione.

A uccidere la Marsili è stata Giuditta Davoli.

Le sottopongo in sequenza la mia ricostruzione.

Dopo avere speronato col Suv la Panda con la quale viaggiava il marito, la Davoli prosegue e ripone la macchina nel suo garage. Da qui le tracce di fango rilevate, dato che quella sera pioveva. Il giorno seguente ne denunzia il furto, certa che nessun controllo verrà effettuato.

Poi, dopo che ha spedito il marito in galera, decide di passare alla seconda fase della vendetta.

Prende il Suv dal garage (ironia della sorte: sono stato io a dirle che il ladro del Suv avrebbe potuto girare indisturbato

per la città!) e va sotto casa della Marsili. Citofona, le dice che vuole parlarle, si tratta di una cosa brevissima. Sia
pure riluttante, la Marsili scende. La Davoli la invita a sedersi nel sedile posteriore del Suv e le si mette accanto. Io non
so se la Marsili sapeva della denunzia del
falso furto, ma se avrà domandato spiegazioni, la Davoli le avrà risposto che l'auto era stata ritrovata.

A un certo punto, colto il momento favore-
vole, la Davoli colpisce alla fronte la Marsili, probabilmente uccidendola, e l'adagia
sul sedile posteriore. A chi la vede, potrà
sembrare che dorma.

Poi si mette al posto di guida e imbocca
l'Aurelia.

Al chilometro 123 si ferma.

Mette la Marsili al posto di guida, le stro-
fina la fronte contro il volante e fa precipitare l'auto.

La lettura per me giusta, è quindi: ti faccio morire nello stesso posto dove non sono
riuscita ad ammazzare mio marito.

E mettendo le chiavi del villino nell'auto
col cadavere ci porta a percorrere una fal-
sa pista.

In sostanza, il sottoscritto crede più alla
forza della vendetta che alle conseguenze
del rimorso.

A riprova di quanto da me supposto, ho in-

terrogato la signora Adelina Ravazzi, proprietaria della pensione Aurora dove la Davoli si è trasferita.

La Ravazzi è pronta a testimoniare che la
signora Davoli, la notte nella quale la Marsili si sarebbe suicidata, è rientrata alle
quattro del mattino. Cosa che non aveva mai
fatto prima.

Le faccio ancora notare altre stranezze rilevate dalla Scientifica:

1) sul volante sono state riscontrate le
impronte digitali del Davoli e della Marsili, ma anche della signora Davoli.

2) che è molto difficile che il sangue
schizzato dalla fronte della Marsili per
l'urto contro il volante possa essere andato a finire in così grande quantità sul sedile posteriore.

Non crede, egregio Dottore, di dovermi con-
cedere un colloquio alla luce di quanto le
ho scritto?

L'ispettore capo
(Attilio Bongioanni)

were found   spattered

«E io il colloquio te lo concedo, Bongioà. Però ti devo dire che m'hai scassato 'o cazzo!»

«Non intendevo minimamente...»

«Anche se non intendevi, me l'hai scassato lo stesso. Non ho tempo da perdere con te. Le tue sono solamente ipotesi che un avvocaticchio da quattro soldi smonta in un *fiat*! Le tracce di fango! A quando risalivano, eh? Il Suv in quel garage stava! E aveva piovuto magari il 7! E che mi vieni a contare del sangue? Il Suv ha capottato, no? E allora il sangue è schizzato pure dietro! E le chiavi della villetta? Non ti pare un po' tirato sostenere che ce le ha messe la Davoli? Ipotesi campate in aria, mio caro e intelligentissimo Bongioanni!»

«E sul fatto che la Davoli è stata fuori sino alle quattro del mattino, non mi dice niente?»

«Quanti anni tiene?»

«La Davoli? Una quarantina.»

«E non ha diritto, povera donna, col marito in carcere, di farsi ogni tanto una scopata anche lei?»

«Però le faccio notare che anche le sue sono ipotesi.»

«Ora ci vengo, alla questione delle ipotesi. Ma prima dimmi di tutti questi casi fortunati che t'hanno permesso d'entrare nel garage con la tua amichetta Bassi!»

«Massi. E che c'è da dire?»

«Tante cose, Bongioà. A parte una mia curiosità: prima di guardare le tracce di fango avete riabbassato la saracinesca e vi siete fatti una sveltina?»

«Dottore, le ho già detto che la Massi...»

«Lasciamo perdere, vedo che in proposito sei suscettibile. Ti stavo dicendo un'altra cosa. Non mi ricordo, aiutami tu.»

«Mi stava chiedendo dei casi fortunati...»

«Ecco, bravo! Lo sai che se faccio leggere al questore quello che mi hai scritto, ti fotto la carriera?»

«E perché?»

«Bongioà, ma tu veramente pensi di potermi pigliare per il culo? Tu quella saracinesca l'hai scassinata!»

«Sì.»

«Lo vedi quanto sei strunzo? Io pensavo di potermi fidare... Te la ricordi come faceva la pubblicità del preservativo?»

«No.»

«"Fidarsi è bene, ma Hatù è meglio." Ah! Ah! E torniamo alle ipotesi. Ipotesi le tue e ipotesi le mie. Sei d'accordo?»

«Sì.»

«Rispondimi bene, Bongioà.»

«Sissignore.»

«Lo vedi che quando vuoi sei bravo? Andiamo avanti. Ora ti faccio una domanda alla quale devi rispondere con un monosillabo. Chi è il capo qua dentro? Io o tu?»

«Lei.»

«Allora le mie ipotesi valgono più delle tue. E non c'è altro da dire. Chiaro, Bongioà?»

«Chiaro.»

«To', piglia il tuo rapporto confidenziale, straccialo e buttalo nel cestino. Nel tuo stesso interesse. Fatto?»

«Fatto.»

«Dimmi grazie.»

«Grazie.»

«E ora vattene perché devo telefonare al pm per dirgli che il caso è chiuso.»

«Avvocato, la vogliono al telefono.»
«Arrivo. Intanto portami un'altra birra.»
«Subito, avvocato.»

— *Pronto. Chi parla?*
— *Gioia mia, vita mia, io sono, l'amore tuo. Sei stato*
  eccezionale! Ti volevo solo dire che qui
  a Milano ho sbrigato ogni cosa. Potrei tornare
  a Roma dopodomani.
— *Forse è meglio se ti trattieni ancora*
  qualche altro giorno.
— *Ma se mi hai detto che il caso è stato chiuso!*
— *La prudenza non è mai troppa.*
— *Ma nessuno potrà pensare che sei stato tu a...*
— *Basta. Zitta. Non dire nulla per telefono.*
— *Ma perché vuoi che non torni subito?*
— *Perché non resisterei a non venirti a trovare.*
  E se ci vedessero...
— *Ma io voglio incontrarti appena arrivo!*
— *Guarda, di giorno possiamo vederci almeno*
  una volta, ufficialmente. Per farci le condoglianze
  reciproche.
— *E di notte?*
— *Di notte è un altro discorso.*
— *Ma tu ci pensi? Ci siamo liberati di tutti!*
— *Non al telefono, ti ho detto.*
— *Senti, mi è venuta un'idea. Perché non ci incontriamo*
  in un posto a metà strada quando scenderò
  con la macchina a Roma? Ci prendiamo un piccolo
  anticipo, che ne dici? Io farò l'Aurelia perché

taken care of   hold back

devo andare a Livorno per salutare i genitori
di Francesco.

— *Si può fare. Possiamo incontrarci al chilometro 123,*
nelle vicinanze c'è un motel. Prendiamo una stanza
e passiamo la notte lì. Tanto, le nostre facce non sono
apparse né sui giornali né in tv.

— *M'hai fatta felice. A presto, Stefano, vita mia.*

— *Stanotte ti sognerò, Maria, amore mio infinito.*

Jaclo

Difesa di un colore

Il testo che segue è un intervento dell'autore al convegno "Scrittori e critici a confronto", tenutosi all'Università degli Studi di Roma Tre il 24-25 marzo 2003. È stato pubblicato nella raccolta *Come la penso* (Chiarelettere, 2013).

Mondadori lo ripresenta su suggerimento dell'autore stesso, dato che la collana "Il Giallo Mondadori" viene più volte citata.

Credo avrete indovinato tutti che il colore che intendo difendere è il giallo. Il giallo non come colore in sé e nemmeno come significazione simbolica, ma il giallo in quanto colore di copertina. E bisognerà subito cominciare con una precisazione. Il romanzo poliziesco, giudiziario, in una parola il mystery, si chiama "giallo" solo in Italia. Nell'estate del 1929 l'editore Mondadori decise di dar vita a una nuova collana di romanzi polizieschi e ne pubblicò i primi quattro volumi. Gli autori, vale la pena di ricordarli, erano l'americano Van Dine, raffinato critico d'arte, che aveva creato il personaggio dell'investigatore Philo Vance, lontanissimo per gusti e comportamento da certi suoi rozzi colleghi statunitensi, l'inglese Edgar Wallace, all'epoca considerato un maestro, ancora l'americana Anna Katharine Green che nel 1883 era stata la prima a definire un suo romanzo, nel sottotitolo, come una "detective story", e nientedimeno che Robert Louis Stevenson con una raccolta di racconti tra i quali l'immortale *Dottor Jekyll e Mister Hyde*. Questi titoli dimostrano una iniziale incertezza, vistosamente sottolineata dalla presenza di Stevenson: si può considerare il suo celebre racconto solo come un racconto di genere? Oppure il racconto non può essere compreso (o meglio, compresso) dentro il rigido schema del poliziesco? Il seme della diatriba che negli anni a venire farà definire "paraletteratura" il poliziesco era già presente nella scelta dei quattro titoli. Ma andiamo avanti. Allora era invalso l'uso che un editore distinguesse i contenuti delle sue pubblicazioni diversificando i colori delle copertine. Mondadori aveva due collane caratterizzate dal colore: "I libri azzurri" riservati alla narrativa italiana e "I libri verdi" per la storia romanzata, a cui successivamente si aggiunsero "I libri neri" dedicati a storie cupe e tristi che ospiteranno i romanzi di Simenon. Per la nuova serie poliziesca scelsero un bel colore giallo, vivacissimo, che attirava lo sguardo. Il poeta Leonardo Sinisgalli, in un articolo del dicembre 1929, recensì i quattro volumi definendoli "romanzi gialli" non solo per la loro copertina, ma soprattutto per i loro contenuti. Da quel momento in poi, in Italia, "romanzo giallo" significò "romanzo poliziesco". Negli anni immediatamente seguenti numerose case editrici, dalla Mediolanum alla Sonzogno alla Nicolli intitolarono le loro collane di mystery rifacendosi in qualche modo al colore giallo: "I Romanzi Gialli", "La Biblioteca Gialla", "I gialli del cigno" e via di questo passo.

I primi scrittori italiani a cimentarsi col genere poliziesco sono, negli anni che vanno dal 1930 al '35, Edoardo Anton, Guido Cantini, Alessandro De Stefani, Guglielmo Giannini, Giuseppe Romualdi, Vincenzo Tieri, Alessandro Varaldo. Questi autori provengono tutti dal teatro, non dalla narrativa. Perché tanti commediografi? Azzardo una discutibile ipotesi. La scrittura drammaturgica per sua stessa natura non può abbandonarsi alla divagazione o all'indugio su un particolare marginale, pena la caduta della tensione drammatica. Bene, allora si credeva che un buon romanzo giallo dovesse tirare dritto al suo scopo, che era quello di proporre un delitto e arrivare il più rapidamente possibile alla soluzione. Racconta Raymond Chandler che in un suo racconto poliziesco aveva testualmente scritto: "Smontò dalla macchina, traversò il marciapiede inondato di sole, finché l'ombra del tendone sopra l'ingresso gli tagliò il viso come un tocco d'acqua gelida". Ebbene, non ci fu verso, la storia dell'acqua gelida fu inesorabilmente cassata, gli spiegarono che rallentava l'azione. L'immediato successo dei romanzi gialli in Italia è incontestabile, tanto che la collana mondadoriana è costretta a sdoppiarsi nei gialli *tout court* e nei "Gialli economici", formato fascicolo, che costano la metà degli altri. Perché i lettori si appassionano tanto ai gialli? Leonardo Sciascia ne ha tentato una spiegazione, sostenendo che il lettore di un giallo è nelle stesse condizioni di uno spettatore cinematografico che finisce coll'identificarsi col protagonista e quindi vivere la vicenda dal di dentro. Il lettore di un giallo però, continua Sciascia, non si identifica con l'investigatore protagonista, bensì con il suo partner, la spalla: si mette cioè in una gradita posizione di inferiorità o di passività. Può darsi, ma l'autore di gialli non gradisce la passività del lettore. Tutti i giallisti, da Freeman a Van Dine, che hanno scritto le regole del giallo, hanno inserito al primo punto che l'investigatore, nella raccolta di indizi e nella conoscenza di fatti, non deve essere avvantaggiato rispetto al lettore. Lettore e investigatore, almeno fino a un certo punto, devono giocare ad armi pari. E quindi, sapendolo fare, il lettore potrebbe addirittura sostituirsi all'investigatore e, in qualche caso, anticiparlo. C'è chi si è spinto più in là, nel fornire elementi al lettore. Nell'avvertenza che precede i suoi racconti raccolti sotto il titolo *Variazioni in rosso*, l'argentino Rodolfo Walsh, poi *desaparecido*, segnala al lettore le pagine nelle quali ci sono tutti gli elementi necessari a risolvere i vari casi polizieschi. Basta saper leggere e interpretare. Credo che proprio in questo senso Sciascia abbia parlato di onestà a proposito della letteratura poliziesca. Ma torniamo in Italia. A questi primi autori italiani se ne aggiungono a decine negli anni immediatamente seguenti. Non è solo per il successo che incontrano, ma anche perché una legge del governo fascista impone che in ogni catalogo annuo delle case editrici almeno un quinto dei libri siano di italiani viventi. Si scatena così una sorta di caccia all'autore di romanzi polizieschi, con l'inevitabile abbassamento di livello. Ora va notato che si tratta sì di autori italiani, ma che essi preferiscono ambientare le loro storie fuori dai confini nazionali. Alessandro Varaldo, in un articolo intitolato "Dramma e romanzo poliziesco", scrive una specie di manifesto del giallo all'italiana e lo conclude con questa domanda: "Come gli autori inglesi ci hanno abituati a considerare di quasi pubblico dominio Piccadilly e lo Strand, come gli autori americani ci abituano alla Quinta Strada e ai quartieri di Brooklyn, come noi conosciamo palmo a palmo per virtù di scrittori stranieri le loro nazioni, non vi sembrerebbe ottima cosa che anche i nostri scrittori, specialmente quelli che trattano un certo genere alla moda, parlassero un po' dell'Italia?". Una via italiana al poliziesco, dunque. E gli farà eco, qualche anno appresso, un grande giallista, Augusto De Angelis: "Ho voluto e voglio fare un romanzo poliziesco italiano. Dicono che da noi mancano i *detectives*, mancano i *policemen* e mancano i *gangsters*. Sarà, a ogni modo a me pare che non manchino i delitti". Alberto Savinio però taglia corto. "Il giallo italiano è assurdo per ipotesi. Prima di tutto è una imitazione e porta addosso tutte le pene di questa condizione infelicissima. Oltre a ciò manca al giallo italiano, *et pour cause*, il romanticismo criminalesco del giallo anglosassone. Le nostre città tutt'altro che tentacolari e rinettate dal sole 'non fanno quadro' al giallo né può 'fargli ambiente' la nostra brava borghesia. Dove sono i mostri della criminalità, dove i re del delitto?" È interessante ricordare, a questo proposito, come Gramsci, riflettendo sul romanzo poliziesco, e in particolare su Chesterton, puntasse la sua analisi sugli elementi psicologici del giallo piuttosto che sulla sua collocazione e limitazione geografica. Varaldo e De Angelis mantengono i loro propositi. Il primo crea la figura del commissario Ascanio Bonichi, che fuma sigari, porta i baffi, che tutti chiamano "sor Ascanio" e che agisce in una Roma sonnolenta e provinciale malgrado le sollecitazioni fasciste. Non vi sembra di sentire un vago odore di *Pasticciaccio*? Da parte sua De Angelis, che già si era fatto conoscere come eccezionale cronista di un quotidiano, inventa il commissario De Vincenzi, certamente la più riuscita figura d'investigatore tra le due guerre. De Vincenzi, che lavora a Milano, a San Fedele, preferibilmente di notte, è uomo d'impegnative letture, da Platone a Freud, da san Paolo a Lawrence, e nelle sue indagini tiene conto tanto della logica quanto delle suggestioni, dei suggerimenti che gli provengono dalla sua solida cultura. Ma, come ho detto, si contano su una mano gli scrittori disposti a sperimentare la via italiana. Ezio D'Errico, autore tutt'altro che trascurabile e commediografo messo in scena da Strehler e compreso da Esslin nella corrente del teatro dell'assurdo, preferisce ambientare i suoi romanzi a Parigi. Il suo personaggio è il commissario Émile Richard della Sûreté che ha un solo grosso difetto, quello di essere una specie di fratello gemello del commissario Maigret. Giorgio Scerbanenco anche lui preferisce all'epoca far svolgere i suoi romanzi gialli addirittura a Boston. Protagonista ne è Arthur Jelling, archivista della direzione della polizia. Non si tratta di autori esterofili, esterofili semmai sono i lettori che tra un giallo straniero e uno italiano preferiscono comprare il primo, ma di autori prudenti. Sanno che il fascismo non vede di buon occhio il romanzo giallo e che tanto più grande è il suo successo tanto più numerose diventano le limitazioni. Si comincia con una direttiva del Minculpop che suona testualmente: "L'assassino non deve essere assolutamente italiano". La dittatura non può ammettere che esista un italiano assassino. Come già da tempo non ammetteva in teatro o in cinema l'adulterio e di conseguenza, nel cosiddetto periodo dei "telefoni bianchi", tutti i triangoli amorosi venivano ambientati, chissà perché, a Budapest. Comunque, proseguiva l'ordinanza, l'assassino, anche se straniero, "non può sfuggire in alcun modo alla giustizia". In breve si arriva all'obbligo di sottoporre alla censura preventiva tutte le pubblicazioni di natura poliziesca ritenute tutte nocive perché esaltavano il delitto e avevano sui lettori un'influenza negativa. Oltretutto, sosteneva ancora il Minculpop, si trattava di romanzi che nulla avevano a che fare con la letteratura. Poi gli unici autori stranieri ammessi alla pubblicazione saranno quelli dei Paesi che ruotano attorno all'asse Roma-Berlino. Il 31 luglio 1941 arrivò l'ordine di sequestro di tutti i romanzi gialli già stampati. Nell'ottobre dello stesso anno chiuse la collana mondadoriana. Ultimo titolo pubblicato: *La casa inabitabile* di Ezio D'Errico. Quella casa inabitabile era chiaramente diventata l'Italia.

Recentemente, in occasione del centenario della nascita di Georges Simenon, un autore italiano di considerevole spessore ha scritto: "Il giallo è conservatore ed è tipico di una società capitalistica: con il delitto c'è uno squarcio nella società che viene colmato dopo la scoperta del colpevole, così si rimargina lo squarcio e l'immagine è quella di una società capitalistica perfetta". Affermazione arditamente ždanoviana o da Libretto rosso, però da quanto abbiamo appena visto nella società non capitalistica ma a regime dittatoriale il giallo non esiste semplicemente perché non lo si vuole fare esistere. Non c'è un romanzo giallo pubblicato in Germania con Hitler, in Urss con Stalin, in Cina con Mao e nemmeno con Franco in Spagna, che io sappia. La verità è che il giallo nasce, fiorisce e si sviluppa non nelle società capitalistiche, ma nelle società libere. E difatti guardiamo brevissimamente cosa è successo in Francia, in Inghilterra e negli Stati Uniti negli stessi anni presi in considerazione per quanto riguarda l'Italia. In Francia, il successo popolare delle inchieste del commissario Jules Maigret, creato da Georges Simenon, fa da apripista ai romanzi non propriamente polizieschi di quest'autore che tra i suoi ammiratori può ormai contare, oltre che su scrittori da lui distantissimi come Céline, sulla quintessenza della letteratura francese di quel periodo, vale a dire André Gide. Gide farà sì che le porte della casa editrice Gallimard, tempio della letteratura cosiddetta alta, si aprano per accogliere Simenon. E questi, intimorito dalle polemiche inevitabili, per qualche anno si guarderà bene dallo scrivere altre inchieste di Maigret. Ma a ogni modo, se non veniva del tutto abbattuto lo steccato tra letteratura e paraletteratura, almeno si affermava il principio che uno scrittore di livello restava tale anche quando scriveva romanzi gialli. In questi giorni nei quali cade il centenario della nascita dello scrittore è arrivata la notizia che i suoi romanzi, consacrazione massima, saranno accolti nella Pléiade. I gialli resteranno esclusi solo perché Fayard non ha voluto cederne i diritti. Per gli Stati Uniti mi rifaccio a un passo dai *Diari* di Gide: "Letto con vivo interesse – e perché non osare dirlo: con ammirazione – *Il falco mal-*

tese di Dashiell Hammett di cui avevo già letto lo stupefacente *Piombo e sangue*. Dialoghi scritti con assoluta maestria che ci riportano a Hemingway e perfino a Faulkner". "Hammett" ha scritto Raymond Chandler "restituì il delitto alla gente che lo commette per ragioni vere e solide, e non semplicemente per fornire un cadavere ai lettori. Mise sulla carta i suoi personaggi com'erano e li fece parlare e pensare nella lingua che si usa, di solito, per questi scopi." E a proposito della citazione da Gide, bisogna precisare che è stato Hemingway a dichiarare il grosso debito contratto con Hammett, debito strettissimamente letterario, sul modo di disegnare un personaggio e farlo parlare di conseguenza. Insomma, in molti romanzi americani, quelli di Hammett e Chandler in testa, avviene ciò che in parte è avvenuto nei romanzi di Simenon, cioè il costituirsi della narrazione – per usare le parole di Todorov – "non già attorno a un procedimento di presentazione, ma attorno all'ambiente rappresentato, attorno a personaggi e atteggiamenti particolari; in altre parole la sua caratteristica costitutiva è tematica". Si tratta della constatazione di un'autentica svolta. In altri termini, comporta due conseguenze: la prima è che Chandler potrà finalmente scrivere che al suo personaggio la faccia venne tagliata dall'ombra del tendone come una lama d'acqua ghiacciata senza che nessun solerte editor cancelli la frase; la seconda è che il delitto e la sua soluzione possano passare in secondo piano, in primo piano viene portato l'ambiente e i personaggi che in esso vivono. Senza crearsi troppi problemi di distinguo tra letteratura e paraletteratura

149

nel 1935 il poeta inglese Cecil Day Lewis fa pubblicare, firmandolo Nicholas Blake, un romanzo poliziesco intitolato *Questione di prove* che suscita molto scalpore per l'ambientazione in un college e quasi costa la cattedra all'autore. Day Lewis è, assieme a Stephen Spender, a Louis McNeice e a Wystan Hugh Auden, il capofila, uno dei quattro cavalieri della poesia inglese post-eliotiana. Insegnante di poesia a Oxford, professore ad Harvard, poeta laureato, Day Lewis, sempre come Nicholas Blake, scrisse una ventina di romanzi polizieschi, eleganti nella scrittura e molto attenti alla realtà socio-politica del momento, creando il personaggio dell'investigatore Nigel Strangeways, modellato proprio sulla figura del poeta Auden. Intanto, senza fare troppo rumore, nel 1942, uno tra i più fini e raffinati letterati del Novecento, Jorge Luis Borges, scrive con Adolfo Bioy Casares i *Sei problemi per don Isidro Parodi*, racconti polizieschi il cui protagonista, l'investigatore, don Isidro Parodi appunto, è un detenuto condannato, seppure ingiustamente, a vent'anni di galera. Borges, sul giallo, scriverà acutissimi saggi critici e terrà affollate conferenze. Volendolo o non volendolo, diventerà il caposcuola di una certa linea di romanzo poliziesco che troverà il suo frutto migliore in quel capolavoro che è *Rosaura alle dieci* di Marco Denevi, romanzo di altissime qualità letterarie che sviluppa logicamente e borgesianamente una molteplicità di soluzioni tutte plausibili.

Ma torniamo in Italia. Nell'immediato dopoguerra i mestieranti del giallo, i facitori di romanzi enigmistici sembrano del tutto scomparire sommersi dalla valanga di romanzi e di film statunitensi. In realtà sopravvivono perché adoperano pseudonimi stranieri e ambientano le loro storie soprattutto in un'America di cartapesta. Valga per tutti l'esempio del torrenziale Franco Enna (il cui vero nome è Francesco Cannarozzo), scrittore non privo d'iniziali qualità, il quale in oltre cinquanta titoli dati alle stampe fino al 1972 adoperò ben venti pseudonimi orecchianti nomi americani e anche, perché no?, finlandesi. La verità è che la rinascita del romanzo giallo italiano ha due date ben precise. Il 1957, quando Carlo Emilio Gadda pubblica in volume *Quer pasticciaccio brutto de via Merulana* (che era già apparso su "Letteratura" nel 1946-47), e il 1961, quando Leonardo Sciascia dà alle stampe *Il giorno della civetta*. Che il libro di Gadda sia un giallo, mi pare non possa sussistere dubbio. C'è un delitto e c'è un'indagine condotta dal commissario Francesco Ingravallo detto don Ciccio. Non c'è la scoperta del colpevole e la sua condanna, cose che non interessano Gadda. E prima di lui non hanno interessato più molti altri giallisti stranieri di qualità. C'è però la Roma fascista, ci sono personaggi di nobili e di popolani, ci sono riti e miti osservati attraverso lo sguardo disincantato e ironico del commissario, c'è, soprattutto, una ricerca di linguaggio dagli esiti assoluti. Del resto lo stesso Gadda, nell'introduzione alla sua *Novella seconda*, ha scritto: "Mio desiderio è di essere romanzesco, interessante, conandoyliano. Non nel senso istrionico, ma con fare intimo e logico". Prima di passare a Sciascia, devo aprire una brevissima parentesi. Nel 1952 lo scrittore svizzero Friedrich Dürrenmatt pubblica *Il giudice e il suo boia*, il primo di un'affascinante trilogia di gialli dove il mistero risulta del tutto impenetrabile a una razionalità logica. Chiusa la parentesi. In quanto a Sciascia, Italo Calvino definì *Il giorno della civetta* un giallo che non è un giallo e a tutt'oggi lo scrittore è connotato, dalla critica ufficiale, come un autore che adopera le strutture del giallo. Che senso ha questa frase? Ha senso solo se si ha del giallo una visione assai miope, riduttiva e ignorante. Tutto, pur di non ammettere che Sciascia è un innovativo, originale, complesso scrittore di romanzi gialli. Romanzi che hanno un colpevole che non può essere tradotto in carcere perché di volta in volta il colpevole è la società, lo Stato. Ha detto Sciascia a proposito del *Pasticciaccio*: "Gadda ha scritto il più assoluto 'giallo' che sia mai stato scritto, un 'giallo' senza soluzione, un *pasticciaccio*. Che può anche essere inteso come parabola, di fronte alla realtà come nei riguardi della letteratura, dell'impossibilità di esistenza del 'giallo' in un Paese come il nostro: in cui di ogni mistero criminale molti conoscono la soluzione, i colpevoli – ma mai la soluzione diventa 'ufficiale' e mai i colpevoli vengono, come si suol dire, assicurati alla giustizia". È vero: sui grandi misteri italiani ai quali Sciascia pare riferirsi, e da Ustica a piazza Fontana all'affaire Moro alla strage di Bologna non c'è che l'imbarazzo della scelta, sarebbe praticamente impossibile che i giallisti dessero una risposta, ma i giallisti oggi sono in grado di dire, di descrivere, di decrittare gli ambienti e le situazioni, il terreno di coltura insomma dal quale possono muovere i germi che portano appunto a piazza Fontana o alla stazione di Bologna. E qui devo fare un'altra data, il 1966, quando l'editore Garzanti pubblica il romanzo *Venere privata* di Giorgio Scerbanenco che, abbandonate le ambientazioni bostoniane dove operava l'archivista Arthur Jelling, scrive una storia tutta italiana, anzi milanese. Senza Scerbanenco il romanzo giallo italiano avrebbe tardato di molto a raggiungere la validità e l'autenticità attuali. Protagonista delle sue storie è Duca Lamberti, un medico radiato dall'Ordine e che si è fatto tre anni di carcere. Opera a Milano come collaboratore di un commissario che gli è amico. Ma la vera protagonista dei suoi romanzi e dei suoi racconti è Milano, una città nera e crudele, popolata di emarginati non solo dalla società, ma spesso emarginati dalla stessa ragione. La violenza narrata da Scerbanenco negli anni nei quali la società italiana cominciava a essere una società consumistica (ricordate la Milano da bere?) parve a molti esagerata, sovratono. Gli anni a venire, quelli stessi che stiamo vivendo, avrebbero pienamente dato ragione a questo straordinario autore dotato di una scrittura personalissima, suadente, coinvolgente. Scerbanenco ha organizzato lo sguardo degli scrittori italiani, ha insegnato come guardare con occhio assolutamente sprovincializzato le città e il loro tessuto sociale.

E così, illuminati dalla luce nera di Scerbanenco, Loriano Macchiavelli, Carlo Lucarelli, Francesco Guccini ci hanno mostrato nascoste verità di Bologna e dintorni; Marcello Fois ha potuto scrivere della sua Sardegna segreta, Massimo Felisatti e Fabio Pittorru ci hanno disegnato il volto violento di Roma, Fruttero e Lucentini quello che si nasconde dietro la facciata borghese di Torino, Massimo Carlotto ci ha raccontato come il paesaggio del Nordest sia meno dolce di quanto appaia, Renato Olivieri ci ha condotto per le strade di una Milano dolcemente stendhaliana ma dove impera il dio denaro, Santo Piazzese e Domenico Cacopardo ci hanno descritto una Sicilia ancora tutta da scoprire. Si tratta di un fenomeno non soltanto italiano, ma europeo. Per sapere oggi quale sia la situazione socio-economica della Svezia o per conoscere i problemi della Spagna, i gialli di Henning Mankell e di Manuel Vázquez Montalbán servono meglio di un supponente saggio riservato a specialisti. Ha scritto recentemente Cesare Cases: "Ci fa piacere che il giallo, considerato finora appannaggio dell'area anglosassone, si sia insediato saldamente in quella mediterranea nella sua forma più autentica senza cessare di aspirare a una forma superiore. Andrea Camilleri, Alicia Giménez-Bartlett e Manuel Vázquez Montalbán ne sono esempi". Mi permetto di aggiungere, in conclusione, due cose alle parole dell'illustre studioso. La prima è che per completare il quadro dell'area mediterranea bisogna assolutamente fare i nomi del marsigliese Jean-Claude Izzo, precocemente scomparso, del greco Petros Markaris e del marocchino Driss Chraïbi. La seconda è che, a mio a un tempo modesto e immodesto parere, abbiamo da qualche tempo cessato di aspirare a una forma superiore. I migliori scrittori di romanzi gialli ci sono arrivati già, a quella forma, quale che essa sia. La migliore difesa del colore giallo forse consiste nella proposta dell'abolizione, in letteratura, di questo colore.

«Km 123»
di Andrea Camilleri
Mondadori Libri

Questo volume è stato stampato
presso ELCOGRAF S.p.A.
Stabilimento - Cles (TN)
Stampato in Italia. Printed in Italy